TWITTANDO O AMOR

contando uma história em 140 caracteres

TWITTANDO O AMOR

contando uma história em 140 caracteres

TERESA MEDEIROS

Tradução

Denise Tavares Gonçalves

Novo Conceito

Título original: Goodnight Tweetheart

1ª Impressão — 2014

Produção editorial:
Equipe Novo Conceito
Impressão e Acabamento Prol 160714

Este livro segue as regras da Nova Ortografia da Língua Portuguesa.

Dados Internacionais de Catalogação na Publicação (CIP)
(Câmara Brasileira do Livro, SP, Brasil)

Medeiros, Teresa
Twittando o amor / Teresa Medeiros ; tradução Denise Tavares Gonçalves. -- Ribeirão Preto, SP : Novo Conceito Editora, 2014.

Título original: Goodnight tweetheart.
ISBN 978-85-8163-555-2

1. Ficção norte-americana I. Título.

14-06201 CDD-813

Índices para catálogo sistemático:
1. Ficção : Literatura norte-americana 813

Novo Conceito

Rua Dr. Hugo Fortes, 1885 — Parque Industrial Lagoinha
14095-260 — Ribeirão Preto — SP
www.grupoeditorialnovoconceito.com.br

Aos meus amados seguidores do Twitter e amigos e fãs do Facebook, por me fazerem sorrir todos os dias e por me acompanharem em cada passo desta incrível jornada.

Para o meu Michael, meu próprio *Tweetheart*. Não há bênção maior do que desejar boa-noite a você todas as noites da minha vida.

Agradecimentos

Meus sinceros agradecimentos a Lauren McKenna, Louise Burke e Andrea Cirillo por não terem me internado quando Mark e Abby começaram a twittar na minha cabeça.

Capítulo 1

Sábado, 23 de abril – 9h47

Em seus momentos mais difíceis, Abby Donovan costumava fantasiar que a carreira que escolheu poderia levá-la a tornar-se muito íntima da frase "Fritas acompanham?". Mas ela nunca suspeitou que acabaria adotando o uniforme tradicional das mulheres trabalhadoras em todo o mundo – a fantasia de coelho.

Ela havia começado aquela manhã seguramente enfurnada em uma espécie de camarim de uma livraria sofisticada. Não se parecia nada com os camarins do programa *Today*, nem do *Book World Weekly*. Não havia sofás confortáveis nem bandejas de prata com bolinhos de chuva quentinhos e sem glúten, além de frutas orgânicas. Não havia assistentes servis perguntando se poderiam fazer algo para que ela ficasse mais confortável enquanto esperava a deixa para subir ao palco.

Havia somente uma mesa atulhada de catálogos de editoras e uma velha cadeira dobrável enfiada entre duas enormes pilhas de caixas. Caixas de livros que provavelmente seriam devolvidas às editoras para crédito sem nem sequer serem abertas. A porta aberta nos fundos da sala dava-lhe uma vista muito clara de um banheiro que parecia não ver uma limpeza desde a primeira temporada de *Survivor*.

Tudo bem, não era mesmo um camarim, era só um enorme armário para largar coisas.

Abby sentou-se curvada na cadeira dobrável de metal enquanto esperava ser chamada, olhando nervosamente para as caixas de livros e imaginando quanto tempo levaria para alguém encontrá-la se caíssem por cima dela. Apesar dos acordes calmantes do que parecia ser *O Pior de Yanni* saindo dos alto-falantes, seus nervos estavam exaltados como se ela tivesse tomado uma dose tripla de café expresso em seu *caramelo macchiato* em vez de sua costumeira dose dupla. Ela nunca teve medo do palco, mas, ultimamente, só a possibilidade de sair de seu apartamento para ir até a mercearia da esquina a fazia suar em bicas. Ela arriscou um olhar para o relógio e suspirou.

Talvez eles estivessem fazendo isso porque sabiam que, se a deixassem lá por bastante tempo, ela iria começar a esfregar as manchas do piso de vinil em volta do vaso sanitário.

Desesperada por algo para ocupar as mãos e a mente, ela relutantemente abaixou o olhar para o livro que estava em seu colo.

O selo dourado na frente da sobrecapa anunciava ao mundo que tanto o livro quando a autora eram "algo especial". Que eles tinham sido escolhidos. Ungidos. Tinham recebido sorrisos da benevolente deusa Oprah Winfrey em carne e osso.

Ser escolhido para o Clube do Livro de Oprah era mais ou menos como ser atingido por um raio no exato momento em que você ganhou na loteria. Você ficaria maravilhado com sua própria (e supostamente não merecida) sorte, regozijando-se sob uma luz que some rápido demais e cega com seu brilho. Como a maioria dos ganhadores da loteria, você acabaria na ruína dentro de seis meses. E, como as pessoas que são atingidas por raios, você teria uma chance de sobreviver de 90 %, mas nunca voltaria a ser exatamente a mesma pessoa.

Quatro anos depois, Abby ainda estava esperando para ver se seria uma escritora de sucesso.

Com o intuito de evitar a humilhação de ser pega lendo um livro que ela mesma havia escrito, virou-o. Sua versão mais jovem e mais dócil sorriu para ela mesma no verso da sobrecapa. Não era difícil olhar para aquela foto com o olhar crítico de uma estranha. Uma assessora de imprensa havia escolhido suas roupas, sua maquiagem e até seu penteado para a sessão de fotos. O cabeleireiro havia levado mais de uma hora para domar seus cachos naturais e transformá-los numa tampa lustrosa de cabelo castanho-claro.

Ela ainda se lembrava do fotógrafo italiano a estimulando para fazer um ar de sensível, bem-sucedida e vagamente sexy, tudo ao mesmo tempo. Em retrospecto, Abby achava que parecia extremamente convencida.

– Senhorita Donaldson?

Abby levou um susto e ficou de pé, procurando pegar o livro antes que ele caísse no chão. Ser pega enlevada pela própria fotografia era só ligeiramente menos humilhante que ser pega lendo seu próprio livro.

– Senhorita Donovan – ela corrigiu, lembrando o suficiente de seus dotes sociais para plantar um sorriso animado nos lábios. – Abigail Donovan. Mas pode me chamar de Abby.

Sua tão esperada salvadora era uma criatura alta e magra vestindo uma camiseta do Coldplay desbotada. O cabelo assimétrico da garota era tingido de preto *Elvis* e decorado com franjas na cor púrpura.

Apesar dos piercings nas sobrancelhas, da tatuagem de uma assustadora serpente em volta do pulso e do crachá que a identificava como "Natalie" (o que garantia aos clientes da livraria que ela estava ali para ajudá-los), a garota não parecia nem ter idade suficiente para ler *Harry Potter*, muito menos vendê-lo.

Ela fez uma bola com seu chiclete, olhando para Abby com um ar de cinismo que só poderia ser alcançado por aqueles que não têm motivo para serem cínicos.

– A gerente me mandou avisar que chegou a hora da sua leitura, senhorita Donnelly.

Desta vez Abby nem perdeu tempo corrigindo-a. Em vez disso, seguiu o traseiro inexistente da garota em seu jeans PP, e puxou seu próprio suéter para se certificar de que ainda estava escondendo a sua cinta modeladora.

Ela havia escolhido suas roupas com muito cuidado. Nos últimos meses, sentia-se mais confortável no uniforme de escritora, com meias velhas e agasalhos manchados de café. A cor bege de seu suéter de caxemira de gola alta era o complemento perfeito para o tom chocolate de sua saia de lã. Ela até investira em sapatos novos, na esperança de que isso deixasse bem claro que ela era vitoriosa além de seus sonhos mais loucos, e não desesperada para recuperar a antiga glória.

Enquanto caminhavam pelo pequeno corredor com as paredes cobertas de quadros de avisos feitos de cortiça, Abby ouviu um som que não ouvia há muito tempo – o murmúrio excitado de vozes, o burburinho de uma multidão impaciente. Ela foi relaxando e ganhando confiança a cada passo que dava. Aparentemente, ela havia gasto seu tempo e energia se preocupando por nada. Seus leitores sempre compareceram às tardes de autógrafos e leituras. Ela deveria saber que eles não a esqueceriam tão depressa. Um sorriso gracioso surgiu em seus lábios quando ela se preparava para saudá-los.

Ela seguiu sua acompanhante e adentrou o recinto com suas ofuscantes luzes.

O burburinho desapareceu e um suspiro coletivo de frustração a recebeu. Seus olhos se ajustaram a tempo de ver a esperança se dissipando na dúzia de rostinhos voltados em sua direção.

– Não é o Biff! – uma voz esganiçada lamentou.

– Tem razão, Brandon – uma voz mais grave fez coro. – Não é ninguém. Mas, se você se comportar mais um pouco, o Biff vai entrar aqui pulando logo, logo.

Foi então que Abby percebeu que eles não tinham vindo da seção de caríssimos artigos de papelaria e charmosos displays de chocolate Godiva que ela vira ao entrar, mas da seção infantil da livraria. E que essa enorme multidão – composta exclusivamente de criancinhas impacientes ainda na idade pré-escolar e de um punhado de pais com cara de sofrimento – não estava esperando por ela.

Um enorme banner estava pendurado acima de suas cabecinhas. Ele trazia a figura em aquarela de um coelho vestindo um avental florido e servindo chá para um grupo de criaturas que incluía um cervo tímido e um porco-espinho com sorriso afetado. De acordo com os dizeres no banner, o gracioso anfitrião era ninguém menos do que o Coelhinho Biff.

– Minha assessora de imprensa não mencionou que haveria outro evento programado para hoje – Abby murmurou para Natalie enquanto era forçada a desviar de uma criança emburrada aninhada sobre um pufe em formato de um cogumelo, e depois a agachar-se para passar por baixo do banner a fim de evitar que ele batesse em seu rosto.

Embora odiasse admitir, mesmo para si mesma, ela tinha ficado tão animada ao ter notícias de sua assessora de imprensa depois de a mulher ter evitado seus telefonemas por quase um ano que talvez nem tivesse notado se ela lhe informasse que a loja havia programado o fantasma de Margaret Mitchell para autografar *E o vento levou*.

– Não viu a página inteira que publicamos no *Times*? – Natalie perguntou.

– Ãh... não. Mas a minha assessora enviou um fax para cá informando que eu iria aparecer. – A foto de Abby tinha ficado tão pequena que ela precisou apertar os olhos para reconhecer a si mesma.

– Bom, a Claire Carroll, autora de *O Coelhinho Biff*, vai fazer uma leitura hoje. Ela se fantasia de Biff e lê suas histórias para as crianças. Elas ficam extasiadas, e a maioria dos pais usa isso como desculpa para largar os monstrinhos aqui conosco e ir estourar o limite de seus cartões de crédito em outro lugar. Antes de amanhecer, eles já faziam fila na frente da loja.

Abby olhou para a ávida plateia de Biff, perguntando-se se tinha chegado ao fundo do poço para ter inveja de um coelho fictício. Ela quase trombou com Natalie quando a garota parou diante de uma porta giratória de metal logo atrás da seção de "sexo alternativo".

– Prontinho. Vamos acomodá-la na sala de reuniões.

Pouco antes de a funcionária abrir a porta, Abby viu, de relance, uma folha de caderno colada. As palavras ENCONTRO COM O AUTOR estavam rabiscadas no papel, junto com o seu nome e o título do livro. Não mencionava que o livro estava na lista da Oprah. Nenhuma alusão ao fato de ela *quase* ter ganhado o Pulitzer.

A sala de reuniões era comprida e estreita. Havia um espaço com um microfone quase caindo do lado direito da sala. Alguém muito otimista tinha arrumado duas dúzias de cadeiras dobráveis de metal em semicírculo. Somente uma das cadeiras estava ocupada.

Um homem idoso usando aparelho auditivo estava jogado em uma das cadeiras, folheando distraidamente uma cópia do livro de Abby. A julgar pelo seu bocejo exagerado, ele não estava muito impressionado como o que lia. Ou talvez fosse o horário de sua soneca vespertina.

Ignorando o constrangimento, Abby levantou os ombros. Se ela havia aprendido alguma coisa como filha única de um sargento do exército e uma mãe bipolar, era que o espetáculo tem que continuar. Uma plateia de um ainda é uma plateia. Se aquele homem se deu ao trabalho de comparecer à leitura, então ele merecia um desempenho digno do Carnegie Hall.

Natalie começou a voltar para a porta.

– Estarei logo ali, se precisar de mim. Tenho que pedir ajuda para segurar os pirralhos. Dois deles quase foram pisoteados na última aparição do coelhinho Biff.

Abby ainda estava chocada com o fato de um coelho chamado Biff gerar uma confusão daquelas, só mesmo igualada ao concerto do Who quando um dos integrantes da banda girou a cabeça feito Linda Blair em *O exorcista*.

– O Coelhinho Biff? *O Coelhinho Biff vai vir aqui*?

Ele deu um pulo para ficar de pé e passou por elas, deixando a porta de metal balançando. Abby e Natalie ficaram olhando a porta por um momento, pasmas, e então voltaram os olhos uma para a outra. Natalie colocou o dedo mindinho na boca, o suficiente para revelar um traço de compaixão... ou seria pena?

Notando que as outras unhas pintadas de preto da garota já tinham sido roídas, Abby deu de ombros e disse:

– Tudo bem. Mesmo. Quem não aprecia um bom passeio de metrô até o Queens numa ensolarada tarde de sábado? Além do mais, os escritores nunca conseguem passar muito tempo em livrarias, não é? Então eu vou ficar aqui olhando a seção de "lançamentos". Ou quem sabe a de "sexo alternativo". Hoje em dia a gente nunca sabe quando vai precisar de uma alternativa para o sexo. – Ela piscou rápido, desejando desesperadamente não ter deixado a sua imitação de bolsa Hermès e seus óculos Prada fajutos trancados no armário do depósito.

Natalie hesitou, visivelmente dividida entre a compaixão pela situação de Abby e seu desejo desesperado de escapar. Antes que ela fugisse, a porta de metal se abriu mais uma vez. Uma mulher corpulenta de cabelo castanho-claro curto entrou com pressa. Ela usava uma camisa polo azul amarrotada, calça cáqui de brim passada com perfeição e um crachá que a identificava como Inga, gerente da loja. Seu rosto largo estava vermelho e ela tinha uma massa disforme de pelo que parecia a carcaça murcha de um pastor-alemão pendurada em um dos braços.

– Natalie! – a mulher exclamou, obviamente aliviada. – Aí está você! Graças a Deus! Que tamanho você veste?

– PP – Abby disse no exato momento em que Natalie disse: – M.

– Que droga. – A mulher lançou um olhar desesperado para a carcaça que lhe pendia do braço. – Você sumiria dentro desta coisa.

Abby olhou para o chumaço de pelo sarnento com ar duvidoso.

– Parece que ela já engoliu mais de uma vítima.

A gerente da loja piscou feito uma coruja por trás da armação exagerada de seus óculos.

– Quem é você?

– Esta é a srta. Davenport – Natalie informou à mulher antes que Abby pudesse responder. – Você sabe, a escritora que devia fazer a outra leitura hoje.

Abby estendeu a mão.

– Abigail Donovan. Fico muito feliz por ter a chance de agradecer pessoalmente por sua hospitalidade.

A mulher voltou o olhar aturdido para o semicírculo de cadeiras vazias.

– Você já deve ter terminado.

– Podemos dizer que sim – Abby disse secamente, baixando a mão.

A gerente piscou várias vezes seguidas, como se quisesse sair de um transe.

– Espero que me perdoe por deixá-la nas mãos da Natalie, srta. Donovan. É que estou tão perturbada hoje. Não é sempre que a loja recebe a visita de uma escritora tão bem-sucedida como Claire Carroll, principalmente aqui no Queens. A maioria das grandes editoras manda seus nomes ilustres para as lojas de Manhattan. – Quando o pálido sorriso de Abby desapareceu por completo, Inga congelou no ar os dedos ainda curvados que usara para enfatizar a palavra *ilustres*.

Antes que ela pudesse fazer um pedido de desculpas que somente deixaria as duas mais constrangidas, um grunhido coletivo soou pela porta. Era o trágico som de dúzias de crianças decepcionadas.

A gerente deixou-se cair em uma cadeira, acrescentando seu próprio grunhido ao delas.

– Meu Deus. O que eu vou fazer? É sobre Claire Carroll. Eu fiquei no telefone com o seu assessor de imprensa a manhã inteira. O voo que ela pegaria para voltar das Bermudas atrasou. Ela não vai conseguir comparecer à leitura. – A gerente passou as mãos pelos cabelos. – Eu acabei de pedir ao Stefan para avisá-los de que o Coelhinho Biff vai se atrasar. Fiquei com medo de dizer que ela – ou melhor, *ele* – não viria. E se eles se rebelarem?

Tomada pela imagem de criancinhas raivosas se pendurando naquele enorme banner e arremessando seus pufes contra uma equipe da SWAT, numa fúria rebelde, Abby teve que conter seu primeiro sorriso sincero do dia.

– Eu sinto muito – ela disse a caminho da porta. – É melhor eu ir embora e deixar vocês se concentrarem em resolver esse problema.

– Espere!

Abby virou-se e viu que um brilho havia tomado o lugar do pânico nos olhos da gerente.

– Que tamanho você usa? – a mulher perguntou.

Foi então que Abby percebeu que a carcaça inerte jogada no braço da gerente não era um animal morto e resgatado da Ponte de Queensboro, mas uma fantasia de Coelhinho Biff, provavelmente despachada diretamente da editora de Claire Carroll para chegar ali a tempo de sua apresentação.

– Ah, não – disse Abby, balançando a cabeça e recuando para a porta. – Você não pode me pedir para incorporar um escritor.

– Você não estaria incorporando um escritor porque é uma escritora – a mulher salientou, com a voz em um tom de sedução. – Você estará incorporando um coelhinho. Você só precisa ler *As aventuras do Coelhinho Biff no país das cenouras* e distribuir uns docinhos. Seria tão difícil assim?

– Mas eu não vim aqui para ler *As aventuras do Coelhinho Biff no país das cenouras* – protestou Abby, cada vez mais desesperada. – Eu vim aqui para ler o *meu* romance. – Ela sacudia o livro nas mãos, apontando com esperança para sua foto. – Você sabe, o que *eu* escrevi.

Natalie balançou a cabeça em sinal de desaprovação e estourou uma bola de seu chiclete.

– Acho que os pirralhos não iriam gostar. Na semana passada, um dos pais ameaçou processar a empresa porque deixamos um voluntário da loja ler *Onde vivem os monstros*. Ele alegou que havia monstros demais.

A gerente segurou o braço de Abby, tendo guardado seu argumento mais persuasivo para o final.

– Se eu pudesse me espremer dentro desta coisa, não acha que eu o faria?

Abby fechou os olhos para escapar do olhar suplicante da mulher, mas só conseguia ver um círculo de rostinhos ansiosos brilhando para ela. O menininho da seção infantil tinha razão. Ela não era o Coelhinho Biff. Ela nem parecia mais Abigail Donovan, a escritora de best-sellers. Ela não era ninguém. Mas estava em suas mãos manter vivo o sonho daquelas crianças. Preservar sua inocência só um pouquinho mais para que elas pudessem acreditar que um coelhinho encantado que não deseja mais nada da vida a não ser cuidar de seu jardim de cenouras e tomar chá com os amigos pode sobreviver neste mundo cruel.

Abrindo os olhos, ela jogou seu próprio livro em uma das cadeiras dobráveis, de onde ele caiu no chão com a capa virada para baixo, escondendo o selo de aprovação da Oprah.

– Onde eu me troco? – ela perguntou secamente, já sabendo a resposta antes de Natalie, "que estava lá para ajudar", e a agradecida gerente começarem a arrancar seu suéter de caxemira pela cabeça.

Capítulo 2

Abby apertou o botão do 9º andar e soltou o corpo contra a parede do elevador. As portas se fecharam, fazendo-a encolher-se ao ver seu reflexo na superfície de metal polido. Ela parecia exatamente a mulher que havia passado a manhã presa numa sufocante fantasia de coelho, sendo apalpada, pisoteada e repetidamente tateada por mãos pequeninas e selvagens. Ela havia suado toda a sua maquiagem artisticamente aplicada e conseguido um cabelo totalmente desarrumado.

Abby só havia recebido olhares apressados enquanto se arrastava pela 5ª Avenida depois de sair da estação de metrô da Rua 59 sob o luminoso sol de abril. Ela poderia ter vindo pulando ainda com a fantasia de coelho que ninguém teria notado. Afinal, Manhattan era assim. Uma escritora suada e em estado de choque mal conseguiria competir com um sósia do Kid Rock usando nada além de uma cueca e um sorriso enquanto tocava guitarra no meio da Times Square.

O pior momento de seu dia foi quando uma mãe ultrazelosa jogou sua filha gordinha no colo de Abby. Apavorada com os bigodes exagerados e as orelhas frouxas de Biff, a criança começou a gritar. Ao sentir uma umidade suspeita começando a atravessar os pelos e passar para seu joelho, Abby teve que se controlar para não desatar a chorar.

As portas do elevador se abriram e ela foi mancando até o seu apartamento. Como se não bastasse, seus novos sapatos Stuart Weitzman haviam provocado uma dolorida bolha em um de seus calcanhares.

Ela tirou seu chaveiro de Frango Robô da bolsa e abriu a porta do apartamento. Deu três voltas na chave e depois virou-se de costas para a porta e sentou-se no chão, como para proteger-se de um bando de criancinhas saqueadoras.

Três anos atrás, quando ainda estava no auge de sua fama, pagar 6.500 dólares por mês no aluguel de um apartamento de 250 metros quadrados no antigo e glorioso edifício que já fora conhecido como o Hotel Plaza parecia uma ideia perfeitamente sensata. Afinal, qual criança que já lera *Eloise* não havia sonhado em sair brincando pelos luxuosos corredores do Plaza enquanto todo mundo dormia? E qual escritor não tinha imaginado escrever sua última obra-prima enquanto olhava para a imensidão verde do mais famoso parque do mundo?

O que faltava ao apartamento em tamanho sobrava em charme. A cozinha, a sala e o quarto podiam compartilhar a mesma sala comprida, mas ele era pintado de um castanho-acinzentado de muito bom gosto e lindamente iluminado por um reluzente candelabro bacará. Para a condessa francesa que o alugara para ela, era só mais um imóvel entre os muitos espalhados pelas cidades mais exóticas do mundo. Para Abby, era seu lar.

Embora ela soubesse que seus dias estavam tão contados quanto os zeros que diminuíam em sua conta bancária, voltar para o seu aconchegante ninho sempre lhe causava uma onda de prazer.

Seus lábios relaxaram em um sorriso quando suas duas peludas gatas cinza vieram saudá-la. Enquanto Buffy, a caça-ratos, e Willow Tum-Tum estivessem por perto, sempre haveria alguém feliz em vê-la.

As gatas lançaram um olhar horrorizado para ela e saíram em disparada, para buscar refúgio no banheiro. Abby suspirou, sentindo o cansaço da batalha deixar seu corpo. Seu cheiro devia estar ainda pior que sua aparência.

Estava desesperada para tomar uma ducha quente, mas, no momento, até o simples ato de arrastar-se para o banheiro e abrir a torneira parecia uma tarefa difícil.

Ela jogou a bolsa sobre o elegante sofá Bottega Veneta escolhido por um decorador, arrancou os sapatos e foi devagarinho até a mesa diante da janela. Afundando em sua cadeira de trabalho, ela abriu seu MacBook.

Sua caixa de correio eletrônico estava lotada das mensagens costumeiras. Uma dúzia de companheiros escritores lamentando o deplorável estado do mercado. Alguns investidores lamentando o deplorável estado do mercado. Um amigo que trabalhava para o correio lamentando o deplorável estado do mercado. Um generoso nigeriano pedindo o número de sua conta bancária para poder depositar milhões de dólares isentos de impostos. Alguém prometendo taxa baixa na hipoteca, preços menores nos medicamentos canadenses *e* uma ereção mais duradoura – a santíssima trindade da felicidade moderna.

Ela estava quase fechando sua caixa de entrada quando um alegre sininho anunciou a chegada de outro e-mail.

Abby hesitou. Era de sua assessora de imprensa.

Ela cautelosamente clicou para abri-lo, ao mesmo tempo se perguntando se um dos pais da livraria poderia, de alguma maneira, tê-la reconhecido na fantasia de coelho e postado o momento mais humilhante de sua vida no YouTube.

O tom de Hillary era animado como sempre. Ao ler a mensagem, Abby não podia deixar de ler as entrelinhas:

Oi, Abby,

Espero que sua visita de hoje tenha sido um enorme sucesso! A esta altura, creio que não podemos nos dar ao luxo de ignorar uma opor-

tunidade de colocar você diante do público. (Mesmo que esse público seja formado somente por criancinhas incontroláveis.) *Espero que não se importe, mas também tomei a liberdade de abrir uma conta para você no Twitter hoje.* (Porque obviamente não posso confiar em você para fazer isso sozinha, assim como não posso confiar em você para terminar o Capítulo 5 de seu novo livro.) *Muitos de nossos autores* (você sabe – os que ainda continuam escrevendo) *estão achando o Twitter uma ótima maneira de se relacionar com seus leitores sem investir muito tempo nem energia.* (Eles usam seus fartos cheques de direitos autorais para contratar assistentes que se passam por eles enquanto cumprem os prazos de seus novos livros.) *Abaixo, inseri as instruções para você se logar. Acho que será uma ótima maneira de garantir que seus dedicados leitores não a esqueçam!* (Ou pelo menos os três dedicados leitores que ainda não a esqueceram.)

O sorridente emoticon no fim do e-mail de Hillary parecia estar rindo dela. A careta obviamente sabia o que Hillary se recusava a admitir: Abby podia escrever um sem-número de blogs, enviar e-newsletters mensais animadíssimas que fariam sua vida parecer mais fascinante que a de John Mayer e postar uma centena de updates no Facebook, mas isso ainda não impediria que seus leitores debandassem para o próximo fenômeno literário. Principalmente se ela demonstrasse ser escritora de um livro só – uma possibilidade que ficava mais possível a cada dia.

Ela olhou para as instruções de login enviadas por Hillary. Vários de seus amigos escritores já estavam alvoroçados com o Tweeter, ou Flitter, ou Titter, ou o diabo que fosse. Pelo que ela entendeu, era uma forma de comunicação somente por mensagens com até 140 caracteres, ou menos.

Motivada mais pela relutância em arrastar seu corpo exausto até o banheiro que por curiosidade, Abby clicou no link que Hillary havia mandado e depois usou a informação sobre como logar-se e acessar sua conta.

De acordo com a página que se abriu, ela agora era "Abby_Donovan" e já tinha 17 seguidores. Ter "seguidores" a fez sentir-se como a líder de algum culto religioso maluco. Em vez de usar uma foto para seu perfil, Hillary havia deixado um espaço em branco. O que resumia à perfeição o modo como ela se sentia no momento.

Um quadrado vazio a convidava para responder a uma simples pergunta: "O que está acontecendo?"

Seus dedos pairaram sobre o teclado, divididos entre digitar "Nada que te interesse" e "Estou comemorando a minha autopiedade. Fantasia de coelho é opcional".

Esperando que seus leitores tivessem senso de humor, ela finalmente decidiu-se por "Estou na praia de St. Tropez bebericando champanhe Cristal com Brad Pitt".

Nada. Aparentemente os usuários do Twitter tinham coisas melhores a fazer com seu tempo do que aplaudir suas tiradas bobas.

Ela tamborilou os dedos sobre o teclado do MacBook por um minuto e depois digitou "Oooi...? Tem alguém aí?".

Ela atualizou a página duas vezes seguidas. Nada. Decidiu tentar mais uma vez antes de recolher-se para o esquecimento vaporoso de chuveiro. Uma mensagem apareceu na tela, recompensando sua persistência: "Vc é virgem?".

Pega de surpresa, Abby estudou por algum tempo a foto do perfil de um tordo rechonchudo que parecia pertencer a um tal de MarkBaynard antes de digitar cuidadosamente "Depende. Você está fazendo testes para *To catch a predator*?" e apertar o botão de atualizar.

A resposta de MarkBaynard foi quase imediata: "É bom ver que você tem um ótimo gosto para o entretenimento."

Um sorriso relutante surgiu nos lábios enquanto ela escrevia: "O que posso dizer? As reprises de *Rock of love: tour bus* não passam todas as noites."

"É, e quem não sonhou chegar perto de um pedófilo e dizer: Meu nome é Chris Hansen, do *Dateline NBC*, e você vai virar torrada"?

"Ah!", Abby digitou, batendo na tecla do ponto de exclamação com um floreio triunfal. "Então você assistia *To catch a predator*!"

"Só quando os canais de cultura fazem campanha para arrecadar fundos. Mas estou fugindo do ponto... Vc é virgem no Twitter?

"É a minha primeira vez", confessou Abby. "Mas você não está sendo muito gentil comigo."

Ela estava ficando cada vez mais desconfortável com o ritmo das mudanças de tela. Era como estar em um jogo de tênis com as palavras sendo a bola. Antes que ela pudesse recuar sua raquete, ele rebatia imediatamente pela Internet:

* * *

MarkBaynard: O que posso dizer? Gosto de pegar pesado. Como você veio parar aqui? Está chamando pouca atenção no Facebook?

Abby_Donovan: Não gostei das respostas daqueles testes idiotas do Facebook. Eles ficavam me dizendo que eu era o fruto do amor entre Marge Simpson e Marilyn Manson.

MarkBaynard: Talvez você seja secretamente uma dessas pessoas que preferem ter seguidores a amigos.

Abby_Donovan: Sim, faz parte da minha trama diabólica para dominar o mundo.

MarkBaynard: Se você começar a ficar por aqui, seus amigos do Facebook não vão sentir sua falta?

Abby_Donovan: Aquelas pessoas não são amigas. Se fossem, não teriam me enviado todos aqueles testes irritantes.

MarkBaynard: Um amigo de verdade nunca pede para alimentarem seu peixinho imaginário. Ou para fertilizar suas plantações imaginárias.

Abby_Donovan: Com um pouco de estímulo, eu poderia ser persuadida a levar para casa seu gatinho imaginário. Então, qual é a diferença entre o Twitter e o Facebook?

MarkBaynard: O Twitter é uma eterna festa onde todos falam ao mesmo tempo, mas ninguém diz nada.

Abby_Donovan: Então por que você está aqui?

MarkBaynard: Porque ninguém me convida para outras festas.

Abby_Donovan: Não acredito. Não com o seu entusiasmo, inteligência e charme.

MarkBaynard: Para sua informação, eu estava pensando em começar carreira como palestrante DESmotivacional.

Abby_Donovan: E como funcionaria isso?

MarkBaynard: Você tem uma ideia nova e fabulosa e depois me paga para ir à sua casa explicar por que ela nunca vai dar certo.

Abby_Donovan: Tem um horário para vir aqui?

Abby recostou-se na cadeira, perplexa com a rapidez com que se envolveu em uma conversa com um completo estranho. Antes que ele pudesse responder, ela voltou a digitar.

Abby_Donovan: Como posso saber se você não é um *serial killer* ou um adolescente solitário que vive no porão da casa da mamãe?

MarkBaynard: Você não sabe, mas sou um assassino adolescente e vivo no porão da casa da minha mãe.

Abby_Donovan: Com a cabeça da sua namorada na geladeira?

MarkBaynard: Seria minha ex-namorada, obrigado. Eu tentei dizer a ela que não queria leite no café. Nem cabides de arame.

Abby_Donovan: É a sua mãe que estou ouvindo bater na porta do porão?

MarkBaynard: Não, é a polícia. Você chamou o 190?

Abby_Donovan: Ora... quem é você de verdade? Está escondendo uma identidade secreta? É o Batman? Ashton Kutcher?

MarkBaynard: Você acreditaria se eu dissesse que sou um reles professor universitário dando um tempo?

Abby_Donovan: Deixe-me adivinhar. Você tirou um ano de licença da cadeira de literatura inglesa na Cornell para viajar pelo mundo e escrever "O grande romance americano" (risos).

Abby esperou. Atualizou a página meia dúzia de vezes, mas não apareceu nada. Ela se sentiu estranhamente aliviada quando ele reapareceu.

MarkBaynard: Para sua informação, tirei um ano de licença de literatura inglesa na Ole Miss para viajar pelo mundo e escrever "O medíocre romance americano".

Abby_Donovan: Opa. Foi mal. Eu sou Abigail Donovan, a escritora. Mas pode se sentir à vontade para fingir que nunca ouviu falar de mim, se quiser.

MarkBaynard: Hum... não deve ser difícil... por que eu nunca... hum... ouvi falar de você.

Abby_Donovan: Ah. Sua leitura é limitada à edição de biquínis da *Sports Illustrated*?

MarkBaynard: E da edição especial de Natal da revista de esportes.

Abby_Donovan: Ainda não sei direito como isso funciona. Eu presumi que você fosse um dos meus seguidores.

MarkBaynard: Agora eu sou. Seu nome apareceu quando eu estava navegando pelo Twitter em busca de vít... quer dizer, de amigos.

Abby_Donovan: Então... agora que nos humilhamos com sucesso, talvez devêssemos voltar para o começo.

MarkBaynard: Por que não? E aí, como está vestida?

Abby_Donovan: Eu usei uma fantasia de coelho hoje.

MarkBaynard: Da *Playboy*?

Abby_Donovan: Do Biff.

MarkBaynard: Ah, isso significa que você está esperando a corça Felicity e a paquera principal do Biff, Henrietta porco-espinho, para o chá esta tarde?

Abby_Donovan: Dada a queda de Biff por tecidos finos e *Project runway*, eu acho que seria mais Henry porco-espinho.

MarkBaynard: O Henry ou a Henrietta gostam de se aproveitar das regras de discrição do Biff.

Abby_Donovan: Então você conhece mesmo o coelhinho levado e seu bando peludo?

MarkBaynard: Quem não conhece? Ele habita o mundo das criancinhas exaltadas, antes ocupado somente pelo dinossauro Barney e por Tinky Winky.

Abby_Donovan: Pelo menos o Tinky Winky se vestia um pouco melhor. O Biff usa um avental e não usa calça!

MarkBaynard: A quem está tentando enganar? A bolsa do Tinky Winky poderia ser usada pela Rainha Elizabeth.

Abby_Donovan: Alguém fez xixi em mim hoje. Aposto que ninguém jamais fez xixi na Rainha Elizabeth. Nem no Tinky Winky.

MarkBaynard: Com esse nome?

Abby_Donovan: E você, como está vestido?

MarkBaynard: Com o casaco e o chapéu que Humphrey Bogart usou quando disse adeus a Ingrid Bergman na última cena de *Casablanca*.

Abby_Donovan: Suspiro... sempre teremos o Twitter.

MarkBaynard: Receio que não. Agora eu tenho que ir.

Abby_Donovan: Ah. Bom, mande lembranças para sua mãe. Ou ao seu agente da condicional.

MarkBaynard: Se você se logar na segunda-feira, por volta das 3 da manhã, eu lhe ensino alguns truques de sobrevivência no Twitter.

Abby_Donovan: O que o faz pensar que não tenho nada melhor para fazer com o meu tempo que ter aulas básicas de Twitter com um assassino em série?

MarkBaynard: Porque alguém fez xixi em você hoje enquanto usava uma fantasia do Coelhinho Biff?

Abby_Donovan: Suspiro... entendi.

MarkBaynard: Você pode clicar no meu perfil e apertar o botão SEGUIR se quiser.

Abby_Donovan: E por que eu iria querer seguir você?

MarkBaynard: Porque eu faço um Ki-Suco sensacional?

Abby_Donovan: Então, se eu o seguir, isso quer dizer que vamos namorar firme?

MarkBaynard: É mais parecido com dar uma rapidinha no banco de trás de um táxi e depois trocar telefones.

Abby_Donovan: Seria a relação mais longa (e mais significativa) que eu tive em um bom tempo.

Abby atualizou a tela quatro vezes, mas não viu resposta. Ela ficou se perguntando se seu último post a fez parecer muito patética, quando as palavras *"Eu também"* apareceram na tela.

Um sorriso lhe tocou os lábios. *"Foi bom conhecer você, Mark."*

"Eu também gostei", ele respondeu. *"Agora peço licença porque tenho que fumar um cigarro e contar vantagens para os meus camaradas."*

"Ou pelo menos destrancar a porta do porão para a sua mãe."

Então, ele sumiu e ela ficou olhando para o quadrado vazio que ele deixou para trás. Abby passou o cursor por sua última frase e clicou na foto do perfil. De acordo com o Twitter, seu nome era Mark Baynard, sua cidade era "Queria que você estivesse aqui" e ele não tinha nenhum site. Sua biografia consistia em três palavras simples: sonhador no exílio.

A maior parte das pessoas que aparecem no ciberespaço se deleita em cuspir os detalhes mais íntimos de suas vidas para completos estranhos, incluindo as coordenadas de GPS para as escolas de seus filhos e os resultados de seus últimos exames de colonoscopia. Mas parecia que o sr. Baynard estava perfeitamente satisfeito em permanecer um homem misterioso.

Abby começou a fazer uma busca do nome dele no Google, mas se deteve, parando os dedos em cima das teclas. Ela realmente queria manchar a lembrança de seu flerte bobinho descobrindo que ele não era professor de literatura inglesa coisa nenhuma, mas algum gerente comercial de pescoço grosso com três filhos, duas hipotecas e pelo menos uma ex-esposa?

De acordo com as estatísticas listadas ao lado da foto de seu perfil, ele seguia 43 pessoas e tinha 32 seguidores. O cursor de Abby pairou sobre o ícone SEGUIR. Ela supôs que não faria mal nenhum aceitar o convite dele. Segundo a Hillary, ela estava no Twitter para fazer contato com seus leitores. E toda pessoa era um leitor em potencial, certo?

Tomando uma decisão, ela clicou no mouse com firmeza. Era agora uma seguidora oficial de MarkBaynard. Ela fez logoff e fechou o laptop, inconformada por seu tão boba.

Na manhã de segunda-feira, ela já deveria tê-lo esquecido. Embora pudesse ter sido levada a acreditar no contrário, ela tinha coisas mais importantes a fazer com seu tempo que perdê-lo com um estranho em um site idiota das redes sociais. Como, por exemplo, terminar o Capítulo 5 do romance que estava escrevendo.

Capítulo 3

Segunda-feira, 25 de abril – 15h01

MarkBaynard: Como está vestida?

Abby_Donovan: Agasalho com manchas de café e o chapéu que Audrey Hepburn usou nas corridas em *My fair lady*. E você?

MarkBaynard: O smoking do Cary Grant em *Indiscreta* e a máscara de borracha de Ronald Reagan que Patrick Swayze usou em *Caçadores de emoção*.

Abby_Donovan: Estou passada. Eu esperava pelo Lyndon Johnson.

MarkBaynard: Pronta para a primeira aula de seu curso básico de Twitter?

Abby_Donovan: Já coloquei *Hot for teacher*, do Van Halen, no meu iPod.

MarkBaynard: Muito bem, a primeira coisa que você precisa fazer é baixar um aplicativo gratuito, como o Tweetdeck ou o Tweetie, para ajudá-la a gerenciar o Twitter.

Abby_Donovan: Ele é assim tão indomável? Devo investir também em um chicote e uma cadeira?

MarkBaynard: Só se tiver um corpete de couro e botas na altura das coxas para usar com eles.

Abby_Donovan: Alguém já te disse que você pensa demais em sexo?

MarkBaynard: Só a stripper sentada no meu colo.

Abby_Donovan: Então, por que o Twitter é algo que precisa ser "gerenciado"?

MarkBaynard: É para organizá-lo. Para você poder dividir seus tweets mais importantes em colunas identificadas... por exemplo... MARK BAYNARD.

Abby_Donovan: Ou PESSOAS QUE NÃO SÃO MARK BAYNARD.

MarkBaynard: Ai! Com uma língua dessas você nem precisa de chicote. Você também pode criar colunas para seus amigos pessoais e seus leitores.

Abby_Donovan: Ou PESSOAS QUE REALMENTE OUVIRAM FALAR DE ABIGAIL DONOVAN?

MarkBaynard: Acho que *O grito* deve ser um dos seus filmes favoritos, não?

Abby_Donovan: Logo depois de *Thelma e Louise* e *Breves entrevistas com homens hediondos*. Então esse aplicativo vai me facilitar postar twets?

MarkBaynard: Não, não são "twets", são tweets.

Abby_Donovan: Ai, me desculpe por ser uma twitteira tão ignorante.

MarkBaynard: Suspiro... chamar um tweet de "twet" é como pedir um refresco "grande" no Starbucks em vez de um "Venti." Sua credibilidade nas ruas pode nunca se recuperar.

Abby_Donovan: Sou uma garota branca de classe média que cresceu em várias bases do exército. Minha única credibilidade nas ruas consiste em baixar *Baby got back* para o meu iPod.

MarkBaynard: Bom, até que você é bem maneira para uma gata branca. O que me lembra que... você também pode baixar o Twitter para o seu CrackBerry ou iPhone.

Abby_Donovan: Hum... e se eu não tiver um BlackBerry nem um iPhone?

MarkBaynard: Onde você vive? Em uma caverna? Dá para ver a Rússia da sua casa?

Abby_Donovan: Não, mas consigo ver alguns sem-teto urinando em um banco do Central Park da janela do meu apartamento.

MarkBaynard: No mesmo banco em que você parece ter dormido nos últimos três anos? SEM BlackBerry e sem iPhone.

Abby_Donovan: Por que eu precisaria de um smartphone? Eu sou escritora. Exceto pela emergência diária de pegar café no Starbucks, eu nunca saio do meu apartamento.

MarkBaynard: Se você saísse do seu apartamento, com um aplicativo você também poderia adicionar fotos de suas viagens aos seus tweets.

Abby_Donovan: Quer ver uma foto de um sem-teto urinando atrás de um banco?

MarkBaynard: Este pode ser um bom momento para lembrá-la de que seus seguidores podem ver tudo que você está dizendo.

Abby_Donovan: Ah... você deveria ter mencionado isso uns três twets – quero dizer, tweets atrás.

MarkBaynard: E se alguém, por acaso, estiver seguindo nós dois, poderá ver nossa conversa inteira.

Abby_Donovan: Eles não têm coisa melhor para fazer? Sei lá, assistir *Rock of love*: *tour bus* ou *Keeping up with the Kardashians*?

MarkBaynard: Se quiser que nossa conversa seja particular, clique no botão Mensagem Direta.

Abby_Donovan: Assim?...

MarkBaynard: Isso mesmo. Agora ninguém pode nos ver. Em alguns aplicativos, como o Tweetdeck, as mensagens diretas têm um D maiúsculo na frente.

Abby_Donovan: Fico contente por ter me avisado. Eu teria presumido que você estava sendo mais Degenerado do que de costume.

MarkBaynard: Será que isso é possível?

Abby_Donovan: Agora que você está dizendo...

MarkBaynard: Você também precisa ter cuidado com os spambots.

Abby_Donovan: Eles são como as Fembots dos filmes do *Austin Powers*? Eles atiram com os peitos?

MarkBaynard: Procure pensar neles como R2D2s do mal. Se você mencionar um produto específico em seus tweets, eles vão começar a segui-la imediatamente.

Abby_Donovan: É por isso que @sramassapronta está me seguindo? Porque eu twittei que fiz panquecas para mim hoje de manhã?

MarkBaynard: Provavelmente. Mas você vai conseguir ultrapassá-la, porque não creio que ela tenha pés.

Abby_Donovan: Eu não quero ultrapassá-la. Gosto de ouvir a voz dela na minha cabeça. É calma, doce e agradável.

MarkBaynard: E agora, a parte mais importante de sua aula. Existem palavras que você nunca deve dizer no Twitter.

Abby_Donovan: Maisena?

MarkBaynard: Essas palavras são...Br*tney Spe*rs. De agora em diante conhecida como AQUELA DE QUEM NÃO PODEMOS DIZER O NOME.

Abby_Donovan: O que acontece se eu esquecer e disser o nome dela?

MarkBaynard: Você será seguida por um spammer ucraniano cuja foto do perfil é a Br*tney fotoshopada fazendo um ato ainda ilegal em muitos estados.

Abby_Donovan: Envolvendo um jumento?

MarkBaynard: Eu não disse que era ilegal em Tijuana.

Abby_Donovan: Então o que devo fazer se os spambots me rastrearem?

MarkBaynard: Existe uma coisinha debaixo do Perfil chamada botão de BLOQUEIO. Aperte-o e... puf! Aquele seguidor desaparece de sua vida para sempre.

Abby_Donovan: Suspiro... não seria maravilhoso se pudéssemos bloquear pessoas na vida real?

MarkBaynard: A adolescente que está no carro da frente dirigindo, penteando o cabelo e mandando uma mensagem para as amiguinhas ao mesmo tempo.

Abby_Donovan: O barista que coloca chantilly no seu frappuccino quando você quer uma bebida "light".

MarkBaynard: Seu tio engraçadinho que bebeu demais e te deu um abraço muito apertado. Espere... eu disse isso em voz alta?

Abby_Donovan: Então, se você me encher em algum momento, posso simplesmente bloqueá-lo e você desaparece. Puf!

MarkBaynard: Ou você pode só deixar de me seguir, o que significa que não vai mais ver meus tweets, mas eu ficaria morrendo de saudade dos seus.

Abby_Donovan: "Sinto muito, tio Bobby. Você pode continuar falando, mas não posso mais ouvi-lo porque deixei de seguir o senhor."

MarkBaynard: Quem te disse que o nome do meu tio era Bobby?

Abby_Donovan: Sua terapeuta.

MarkBaynard: #TerapeutaFail. Preste atenção, Gafanhoto. Agora eu vou te falar da hashtag FAIL.

Abby_Donovan: O que é hashtag? Parece algo que a gente pode comer com ovos e bacon.

MarkBaynard: Esta é a lendária hashtag: #. Acrescente FAIL a ela e derrube impérios. (Ou pelo menos deixe a lavanderia que estragou seu melhor terno muito constrangida.)

Abby_Donovan: Exemplo, por favor.

MarkBaynard: Como #EnronFail

Abby_Donovan: Hum... ou #TitanicFail?

MarkBaynard: Ou #NovaCocaFail

Abby_Donovan: #QualquerFilmeComPaulyShore (exceto *O homem da Califórnia*, porque também tinha Brendan Fraser e Sean Astin) Fail?

MarkBaynard: Ou #MeuPrimeiroCasamentoFail

Abby_Donovan: Tenho medo de perguntar sobre o segundo, terceiro e quarto casamentos.

MarkBaynard: Desde que as esposas 2, 3 e 4 não se encontrem no supermercado, acho que será um #Win para nós quatro.

Abby_Donovan: Microblogar não é como pensar em voz alta? O que acontece se eu não conseguir terminar um pensamento em 140 caracteres ou menos?

MarkBaynard: Então você não é inteligente ou sucinta o suficiente para estar no Twitter e deveria voltar correndo para o Facebook para plantar algumas sementes imaginárias.

Abby_Donovan: Ah, eu consigo ser bem sucinta. Principalmente em certos períodos do mês. Ah, espere... você disse sucinta, não é?

MarkBaynard: Se você simplesmente não consegue resistir à tentação de ficar se arrastando, entediando todo mundo, também pode usar "..."

MarkBaynard: ... o que significa que seus seguidores devem continuar prestando atenção em cada palavra sua, por mais cansativas, pedantes ou irritantes que sejam, porque...

MarkBaynard: ... você não está se estendendo sobre si mesma e sua vida, que consiste em fazer panquecas e falar no celular...

MarkBaynard: ... ainda.

MarkBaynard: MAS não deve esquecer nunca a regra mais importante do Twitter: se você não consegue dizer algo em 140 caracteres, então não deve valer a pena dizer.

Abby_Donovan: Ah, Twitter! Haicai para os semianalfabetos!

MarkBaynard: Por hoje é só, Gafanhoto. Me desculpe, mas tenho que ir.

Abby_Donovan: O comissário Gordon acabou de mandar o Bat-sinal?

MarkBaynard: Mais ou menos isso. Apareça amanhã. No mesmo Bat-horário. No mesmo Bat-canal.

Abby_Donovan: Ligado nas séries antigas, hein?

MarkBaynard: O Nick@Nite sempre foi minha perdição quando eu era criança.

Abby_Donovan: Boa noite, John Boy.

MarkBaynard: Boa noite, Mary Ellen.

Abby_Donovan: Boa noite, papai.

MarkBaynard: Boa noite, Erin.

Abby_Donovan: Boa noite, Jason.

MarkBaynard: Boa noite, Elizabeth.

Abby_Donovan: Boa noite, Bem.

MarkBaynard: Boa noite, vovó.

Abby_Donovan: Boa noite, Jim-Bob.

MarkBaynard: Boa noite, Tweetheart...

* * *

Terça-feira, 26 de abril – 15h00

MarkBaynard: Como está vestida?

Abby_Donovan: Agasalho com manchas de café e a charmosa boina de Faye Dunaway em *Bonnie e Clyde*. E você?

MarkBaynard: O peito falso de Ricardo Montalban em *Guerra nas estrelas 2: a ira de Khan* e os óculos de Arnold Schwarzenegger em *Exterminador do futuro*.

Abby_Donovan: Eu sabia que você ia voltar!

MarkBaynard: Como pude resistir? Eu tinha que saber como a minha aluna de Twitter estava indo.

Abby_Donovan: Vai ficar tão orgulhoso de mim! Eu baixei o Tweetdeck e aprendi a postar fotos. http://tweetpic.com/28251900

MarkBaynard: Mas que diabos é isso? Um espanador?

Abby_Donovan: É minha gata Buffy, a caça-ratos.

MarkBaynard: Eu achava que o nome de um gato seu seria Pedrinha.

Abby_Donovan: Na verdade eu tenho duas gatas.

MarkBaynard: Você devia fazer uma contagem. Talvez a Buffy tenha comido a outra.

Abby_Donovan: Que nada. A Willow Tum-Tum está sentadinha bem aqui no meu colo, ronronando e me olhando com veneração. http://tweetpic.com/282519061

MarkBaynard: Eu fazia isso com a minha esposa até que ela pediu uma ordem judicial de afastamento.

Abby_Donovan: A Willow chamou um advogado e revogou a minha. Eu sabia que não devia ter deixado que ela assistisse a tantos episódios de *Law and order* quando era filhote.

MarkBaynard: Então a Willow Tum-Tum é a filha secreta do Coelhinho Buff e o Henry/Henrietta porco-espinho?

Abby_Donovan: O nome dela era só Willow, mas ela adora que cocem sua barriga, então isso deu origem a um ritual constrangedor chamado "alerta Tum-Tum!".

MarkBaynard: Constrangedor para você ou para ela?

Abby_Donovan: Para as duas. A Willow Tum-Tum não é a única que me venera. Você notou que eu ganhei mais 42 seguidores hoje?

MarkBaynard: Ou como você deve preferir pensar neles –bajuladores.

Abby_Donovan: Ou PESSOAS COM GOSTO IMPECÁVEL QUE REALMENTE LERAM E ADORARAM MEU LIVRO.

MarkBaynard: Nossa! Você é incansável, mulher! Eu prometo baixar o seu livro assim que terminar a nova autobiografia da Paris Hilton.

Abby_Donovan: Não faça isso.

MarkBaynard: Agora você está só provocando.

Abby_Donovan: Não. Estou falando sério. Não quero que você o leia. Nem quero que você visite o meu site.

MarkBaynard: Por que não? Muitas fotos de seu rosto fotoshopado sobre o corpo nu de Angelina Jolie?

Abby_Donovan: Durante os últimos quatro anos, a única razão pela qual alguém quis conversar comigo é porque sou "Abigail Donovan, a escritora".

MarkBaynard: Ao contrário de "Abigail Donovan, a neandertal que não tem iPhone nem BlackBerry"?

Abby_Donovan: O que estou tentando dizer é que é legal ter alguém para conversar só porque sou eu. Só a Abby.

MarkBaynard: E mãe da Willow Tum-Tum.

Abby_Donovan: Não se esqueça da Buffy, a caça-ratos. Ela é muito sensível e está ouvindo.

MarkBaynard: É, não quero que ela me coma.

Abby_Donovan: Eu mandei uma foto. Por que não me manda uma?

MarkBaynard: Não tenho gatos.

Abby_Donovan: Posso ver que está twittando de um iPhone hoje. Por que não me manda uma foto do que você está vendo neste momento?

MarkBaynard: Claro. Espere um pouco... me dê um minuto.

MarkBaynard: Muito bem... ainda está aí? Aqui está uma vista de onde estou sentado. http://twitphoto.com/MB7sta

MarkBaynard: Abby?

MarkBaynard: Abby, ainda está aí?

Abby_Donovan: Hum, Mark... é a Torre Eiffel. Está em Las Vegas, no cassino Paris, por acaso?

MarkBaynard: Não exatamente.

Abby_Donovan: Está em Paris? Estava em Paris o tempo todo? PARIS, NA FRANÇA???

MarkBaynard: Eu disse que era um professor de literatura inglesa numa viagem sabática pelo mundo para escrever "O medíocre romance americano".

Abby_Donovan: Eu achei que estivesse brincando em relação a estar viajando pelo mundo.

MarkBaynard: Não parecia sério?

Abby_Donovan: Você nunca parece sério.

MarkBaynard: É uma maldição que compartilho com David Letterman, Groucho Marx e George W. Bush.

Abby_Donovan: Suspiro triste... eu sempre quis ir a Paris. Me diga exatamente o que está fazendo neste momento.

MarkBaynard: Mandando um tweet para você.

Abby_Donovan: Você sabe o que eu quis dizer!

MarkBaynard: Sentado em um café bebericando uma xícara de expresso tão forte e encorpado que não vou dormir por uma semana.

Abby_Donovan: Ah, quase posso sentir o gosto do café na minha boca!

MarkBaynard: Também estou vendo mulheres excessivamente magras que precisam desesperadamente de um Combo Super Big Mac desfilarem pela calçada apinhada.

Abby_Donovan: Ah, eu quase posso sentir o ronco do estômago delas!

MarkBaynard: Se eu acender um cigarro, você vai tossir?

Abby_Donovan: Você fuma?

MarkBaynard: Não. Mas nunca é tarde para começar. Principalmente quando você está na França.

Abby_Donovan: Vai ficar mais quanto tempo aí? Em Paris, na França?

MarkBaynard: Só mais um dia. Amanhã eu vou para o Vale do Loire.

Abby_Donovan: Gemido... Vale do Loire? Onde tem os castelos e vinhos?

MarkBaynard: Vou viajar pelo Vale do Loire por uma ou duas semanas, e depois vou para a Toscana e Florença.

Abby_Donovan: Florença, na Itália?!

MarkBaynard: Florença, no Alabama. Sério (eu disse isso para você saber que eu não estava mentindo), vou passar algum tempo na Itália e depois vou para a Irlanda.

Abby_Donovan: Soluço! Eu vou ao Starbucks amanhã. Depois vou para a academia e para a lavanderia.

MarkBaynard: Me manda uma foto de lá?

Abby_Donovan: Mando. Sou a mulher azul com a cabeça embrulhada numa sacola de plástico.

MarkBaynard: É um mau momento para perguntar como está indo a sua obra?

Abby_Donovan: Exatamente igual a ontem. Ainda empacada no Capítulo 5.

MarkBaynard: Se não me deixa ler seu livro, poderia pelo menos me falar sobre ele.

Abby_Donovan: Não há muito a dizer. O nome era *Tempo para esquecer*. É um romance sobre uma jovem que cresce tendo uma mãe bipolar.

MarkBaynard: Uma comédia?

Abby_Donovan: Gosto de pensar que ele faz os leitores rirem e chorarem.

MarkBaynard: Me diga a primeira frase dele.

Abby_Donovan: Acha que sou tão egocêntrica a ponto de saber a primeira frase do meu livro?

MarkBaynard: Você é escritora, não é?

Abby_Donovan: "Mesmo quando era criança, minha mãe tinha um sorriso torto, como se não conseguisse decidir se queria ser maníaca ou depressiva."

Abby_Donovan: Mark? Caiu no sono?

MarkBaynard: Você tinha dito que era um romance, não uma lembrança.

Abby_Donovan: Como sabe que eu escrevi isso sobre minha própria mãe?

MarkBaynard: Detector de mentiras interno. Só funciona invertido. Consigo saber quando alguém está fingindo mentir.

Abby_Donovan: Bom, existem elementos verdadeiros em todos os grandes livros de ficção, não acha?

MarkBaynard: E elementos de ficção em todas as grandes verdades. Sua mãe ainda está viva?

Abby_Donovan: Numa casa de repouso. Transtorno bipolar+ demência=#MedicaçãoFail. Eu a coloquei em um lugar maravilhoso, no Bronx, há dois anos, depois que perdemos o papai.

MarkBaynard: Sinto muito. Você era a queridinha dele?

Abby_Donovan: Ele sempre foi minha fortaleza. Minha segurança. Desde que ele se foi, o mundo parece um lugar muito maior e mais assustador.

MarkBaynard: Quando você era criança, tinha medo de ficar doente como sua mãe?

Abby_Donovan: Papai sempre me disse para não me preocupar com isso. Que eu tinha o azar de ter a cara dele, mas era abençoada por ter sua cabeça...

Abby_Donovan: Mesmo assim, fiquei aliviada quando percebi que as vozes que escutava pertenciam aos meus personagens.

MarkBaynard: Sua mãe ainda reconhece você?

Abby_Donovan: Quase sempre. Nos dias em que não reconhece, nem sei se eu consigo me reconhecer.

MarkBaynard: Acredite em mim... há dias em que eu desejaria que minha mãe não me reconhecesse. Espere... mas que droga!

Abby_Donovan: O que foi?

MarkBaynard: Uma das francesas anoréxicas acabou de ser levada por uma lufada de vento. É melhor eu ver se consigo pegá-la.

Abby_Donovan: Boa noite, diretor Snyder.

MarkBaynard: Boa noite, Darla.

Abby_Donovan: Boa noite, Oz.

MarkBaynard: Boa noite, Tara.

Abby_Donovan: Boa noite, Xander.

MarkBaynard: Boa noite, Drusilla.

Abby_Donovan: Boa noite, Spike.

MarkBaynard: Boa noite, Buffy.

Abby_Donovan: Boa noite, Angel.

MarkBaynard: Boa noite, Tweetheart...

* * *

Terça-feira, 3 de maio – 14h39

MarkBaynard: Como está vestida?

Abby_Donovan: Agasalho com manchas de café e a echarpe que a Hermione Granger usa em Hogwarts. E você?

MarkBaynard: Os cachos de Samuel L. Jackson em *Pulp fiction* e o corpete de Frank-N-Furter em *Rocky horror picture show*.

Abby_Donovan: Já chegou ao Vale do Loire? Você prometeu mandar uma foto para eu poder viver através de você.

MarkBaynard: VISTA DO MEU iPHONE: http://twitphoto.com/MB7stb

Abby_Donovan: Suspiro... é o Castelo de Villandry, não é? Me diga EXATAMENTE o que está fazendo neste momento.

MarkBaynard: Sentado debaixo de uma pérgola coberta por vinhas degustando queijo de cabra aquecido pelo sol e admirando a recriação de um jardim de ervas medieval.

Abby_Donovan: Eu te contei que comi um pacote de Club Social hoje? Também tirei uma foto da minha vista para você...

Abby_Donovan: VISTA DO MEU LAPTOP: http://tweetpic.com/282519064

MarkBaynard: É um Gollum subindo no seu computador? Estou sentindo que não foi um dia muito produtivo para escrever, minha preciosa.

Abby_Donovan: Vamos colocar da seguinte maneira: eu sei por que Hemingway se matou com um tiro.

MarkBaynard: Eu também. Porque ele não conseguiu se matar de tanto beber.

Abby_Donovan: Todo dia eu digo a mim mesma que hoje é o dia em que vou terminar o Capítulo 5 e começar o Capítulo 6.

MarkBaynard: Talvez esteja sendo muito dura com você mesma. Não pode ser assim tão ruim. Para quando é o livro?

Abby_Donovan: Março de 2009.

MarkBaynard: Mas estamos em maio de... ah... deixa pra lá.

Abby_Donovan: Até agora o Capítulo 5 tem só: "Muito trabalho e pouca diversão fazem de Abby uma garota chata" escrito 6 mil vezes.

MarkBaynard: Por favor, não me diga que você tem um machado.

Abby_Donovan: Não, mas eu vi uns gêmeos esquisitos perto do elevador ontem.

MarkBaynard: Talvez você esteja só sofrendo da síndrome do impostor.

Abby_Donovan: Esta não é a sua identificação? Principalmente se você for mesmo Ashton Kutcher. Ou o Batman.

MarkBaynard: Eu li que isso acontece com pessoas que vivenciam o sucesso repentino, mas no fundo acreditam que não o merecem.

Abby_Donovan: Deixe-me adivinhar. Sua segunda matéria de interesse era psicologia.

MarkBaynard: Na verdade, eu me graduei nela. Minha segunda matéria de interesse era irritar pessoas.

Abby_Donovan: Aposto que você foi um dos primeiros da turma.

MarkBaynard: Com louvor, querida.

Abby_Donovan: Eu não me sinto uma impostora desde que o livro fez sucesso. Me sinto uma convidada ilustre na minha própria vida.

MarkBaynard: O papel de Abigail Donovan agora está sendo interpretado por Tina Fey.

Abby_Donovan: Só porque a garota que interpretou Nellie Oleson em *Os pioneiros* não estava disponível.

MarkBaynard: Pelo menos você chegou ao Capítulo 5 do seu segundo livro. Eu nem cheguei ao primeiro capítulo do meu primeiro livro.

Abby_Donovan: Você deveria agradecer por não ter publicado nada ainda. Sem prazos. Sem expectativas. Sem aquele medo paralisante de desapontar todo mundo.

MarkBaynard: Sem fortuna. Sem fama. Sem bajuladores.

Abby_Donovan: Não me faça bloqueá-lo. Já bloqueei várias pessoas hoje.

MarkBaynard: Por quê?

Abby_Donovan: Eu postei uma brincadeira sobre meus "gigantescos e esquisitos pés" e os fetichistas começaram a me seguir.

MarkBaynard: Uma amiga que tem um esquilo como animal de estimação mencionou ser "amante de esquilos" e teve resultados igualmente chocantes. Realmente, tem alguma coisa para todo mundo no Twitter.

Abby_Donovan: Estou pensando em criar uma nova hashtag. #ComoPerderSeguidores.

MarkBaynard: #ComoPerderSeguidores: Insulte o presidente. Qualquer presidente. Obama. Bush. Clinton. George Washington. Não importa.

Abby_Donovan: #ComoPerderSeguidores: Descreva com detalhes gráficos há quanto tempo você não depila as pernas.

MarkBaynard: #ComoPerderSeguidores: Poste qualquer receita que leve repolho e miolos de bezerro.

Abby_Donovan: #ComoPerderSeguidores: Faça comentários sarcásticos sobre o cabelo de Sarah Palin e/ou sobre as orelhas do presidente.

MarkBaynard: #ComoPerderSeguidores: Escolha uma pic de Kim Jong-il como seu avatar. Ou da Kathie Lee Gifford.

Abby_Donovan: #ComoPerderSeguidores: Poste um link para citar as URLs dos perigos potenciais de encher a pança de chocolate M&Ms.

MarkBaynard: #ComoPerderSeguidores: Poste que você acha que *Cold mountain* teve o melhor final que você já viu!

Abby_Donovan: #ComoPerderSeguidores: Me diga que aposta que eu tenho os dedos dos pés muito bonitos e que você quer ficar comigo.

MarkBaynard: Aposto que você tem os dedos dos pés muito bonitos. Quer ficar comigo?

Abby_Donovan: Espera um pouco... eu vou colocar uma meia-calça e já volto.

MarkBaynard: Felizmente, o Twitter não é o eHarmony. As pessoas podem vir aqui em busca de pés, mas não vêm aqui em busca de amor.

Abby_Donovan: Não seja bobo. As pessoas nunca param de buscar amor.

MarkBaynard: É, mas algumas não param nem DEPOIS que o encontram.

Abby_Donovan: Um cético, é?

MarkBaynard: Não, só um divorciado realista.

Abby_Donovan: Você dá um novo significado à expressão "romântico inveterado".

MarkBaynard: Minha esposa não deve estar mais me seguindo, mas e você? O que eu poderia fazer para que você deixasse de me seguir?

Abby_Donovan: Você poderia me dizer em quem votou nas últimas eleições.

MarkBaynard: Quem te contou sobre o cartaz de corpo inteiro da Hillary Clinton que eu tenho no banheiro?

Abby_Donovan: Meu pôster da NRA com o Dick Cheney é MUITO mais sexy. Eu nunca resistiria a um cara com uma arma grande.

MarkBaynard: Você sabe que todos os liberais desejam a Ann Coulter.

Abby_Donovan: É, aposto que você fica inspirado só de pensar naqueles cotovelinhos ossudos cutucando a sua virilha.

MarkBaynard: Bom, já terminamos com o tópico tabu da política. O que vem agora? Religião?

Abby_Donovan: Por que não? Acredita em Deus?

MarkBaynard: Por mais estranho que pareça, ele pode ser a única coisa em que eu realmente sempre acreditei.

Abby_Donovan: E você tem a coragem de dizer que é cético?

MarkBaynard: Não, eu disse que era realista. Então, se Deus é real...

Abby_Donovan: Eu queria ter a sua confiança.

MarkBaynard: Então vou esclarecer – sou um liberal temente a Deus e você é uma ateia conservadora?

Abby_Donovan: Eu nunca disse que era ateia. Prefiro pensar em mim como uma narcisista devota.

MarkBaynard: O que isso significa?

Abby_Donovan: Se o sol está brilhando, eu agradeço a Deus. Se chove, eu o culpo.

MarkBaynard: Acho que isso só faz de você um ser humano. Droga. Lá vem meu Bat-sinal novamente. Deve ser mais um gato de uma velhinha em cima de uma árvore.

Abby_Donovan: Boa noite, xerife Leo.

MarkBaynard: Boa noite, Lilly.

Abby_Donovan: Boa noite, Wallace.

MarkBaynard: Boa noite, Mac.

Abby_Donovan: Boa noite, Logan.

MarkBaynard: Boa noite, Kendall.

Abby_Donovan: Boa noite, Keith.

MarkBaynard: Boa noite, Backup.

Abby_Donovan: Casa comigo?

MarkBaynard: Por quê?

Abby_Donovan: Porque eu fiz o juramento de que me casaria com o primeiro homem que soubesse o nome do cachorro de Veronica Mars.

MarkBaynard: Vou te dizer uma coisa – se nenhum de nós encontrar ninguém para casar até eu completar 15 anos, está combinado.

Abby_Donovan: Só espero que você goste de mulheres mais velhas.

MarkBaynard: Ah, eu gosto. Boa noite, Tweetheart...

Capítulo 4

Segunda-feira, 9 de maio – 13h42

MarkBaynard: Como está vestida?

Abby_Donovan: Agasalho com manchas de café e o penteado de Madeline Kahn depois de fazer amor com o monstro em *O jovem Frankenstein*. E você?

MarkBaynard: O casaco preto de Keanu Reeves em *Matrix* e a calça de couro de Harry Shearer em *Isto é Spinal Tap*.

Abby_Donovan: Aquelas com o pepino embrulhado em papel-alumínio?

MarkBaynard: Nunca revelarei. Digamos que foi um inferno passar pela segurança do aeroporto hoje de manhã.

Abby_Donovan: Ah... mais um aeroporto, mais uma cidade glamorosa! Então, por onde andará Mark Baynard hoje?

MarkBaynard: VISTA DO MEU iPHONE: http://twitphoto.com/MB&stc

Abby_Donovan: Suspiro triste... Ah, a Toscana! Confesse. Me diga o que está fazendo neste exato momento.

MarkBaynard: Bebendo um exuberante Merlot em uma varanda com vista para o vinhedo. E você?

Abby_Donovan: VISTA DO MEU LAPTOP: http://tweetpic.com/282519066

MarkBaynard: É o capitão Jack Sparrow que está olhando por trás de seu computador? Avante, marinheiros! Eu perdi o Dia de Falar Como Pirata?

Abby_Donovan: Quando eu perco o pique, o capitão Jack vem rebolando até a minha mesa e murmura doces bobagens no meu ouvido para me inspirar.

MarkBaynard: Achei que esse fosse o meu trabalho. E então, o que escreveu hoje?

Abby_Donovan: 2 blogs, 7 atualizações no Facebook e 18 tweets. Ah, e também assinei um cheque para a TV a cabo. Você ficaria perplexo com a minha eloquência no canhoto do talão.

MarkBaynard: Se nada mais der certo, quem sabe a gente possa publicar nossos tweets e fazê-los passar como colaboração?

Abby_Donovan: Só se a polícia não os recolher como prova depois de revistar sua geladeira.

MarkBaynard: Eu vou imprimi-los e escondê-los atrás de uma garrafa de Chianti. Ao lado das favas.

Abby_Donovan: Pode ser que eles precisem da foto que você tirou quando foi fichado para o *America's most wanted*. Por que não me manda uma foto sua de verdade?

MarkBaynard: Você me mandou fotos de seus gatos peludos. Talvez esteja mesmo na hora de trocarmos fotos. Roupas são opcionais, é claro. Pelo menos para você.

Abby_Donovan: Acho que isso significa que o uniforme da escola católica está proibido.

MarkBaynard: Uau! Não vamos tão depressa.

Abby_Donovan: Me encontre aqui em 15 minutos. Vamos sincronizar nossos relógios, fazer a contagem regressiva e apertar o botão de UPLOAD exatamente no mesmo nanossegundo.

MarkBaynard: Encontro marcado.

* * *

Segunda-feira, 9 de maio – 14h10

MarkBaynard: Tem certeza de que está pronta?

Abby_Donovan: Eu nasci pronta, benzinho. Respire fundo. Dez...

MarkBaynard: Nove...

Abby_Donovan: Oito...

MarkBaynard: Sete...

Abby_Donovan: Seis...

MarkBaynard: Cinco...

Abby_Donovan: Quatro...

MarkBaynard: Três...

Abby_Donovan: Dois...

MarkBaynard: AGORA!!!

MarkBaynard: http://twitphoto.com/MB7ste

Abby_Donovan: http://tweetpic.com/282519068

MarkBaynard: Que estranho. Você está a cara da Angelina Jolie nessa foto. Até as tatuagens são iguais.

Abby_Donovan: E você está o focinho do Brad Pitt. Quando tirou essa foto no tapete vermelho de Cannes?

MarkBaynard: Falando sério, estou arrasado. Eu esperava que você fosse bem mais parecida com a Jennifer Aniston.

Abby_Donovan: E eu esperava que você fosse bem mais parecido com o David Schwimmer.

MarkBaynard: Então... agora que já trocamos fotos falsas, fica confirmado que nós dois estamos no Programa de Proteção à Testemunha.

Abby_Donovan: Ou nós dois somos muito covardes quando se trata de assuntos íntimos.

MarkBaynard: Não seja ridícula. Eu posso ser muito íntimo. Às vezes até chamo meus alunos pelo primeiro nome.

Abby_Donovan: Todo mundo é tão transparente hoje em dia, mas sempre de maneira superficial. É tão errado assim querer preservar um pouco da intimidade?

MarkBaynard: Não se você está no Programa de Proteção à Testemunha.

Abby_Donovan: Além disso, eu gosto assim. Posso mudar a sua aparência dependendo do meu humor. Na segunda-feira você poderia ser o Gerard Butler. Na terça, Clive Owen...

MarkBaynard: E eu posso mudar a sua roupa de acordo com o meu humor. Na segunda você poderia ser uma garotinha na escola católica. Na terça, uma enfermeira safada...

Abby_Donovan: O quê? Não uma dominatrix vestida de couro e com chicotinho?

MarkBaynard: Essa eu quero no sábado à noite. Principalmente se fui um menino malvado durante a semana.

Abby_Donovan: Vamos fazer um pacto, então? Eu não vou procurar a sua foto na Internet e você não vai procurar a minha.

MarkBaynard: Combinado. Você continuará sendo uma mulher misteriosa numa fantasia de camareira francesa e salto alto.

Abby_Donovan: E você continuará sendo o Hugh Jackman, o Jude Law, o Matthew McConaughey, o Viggo Mortensen, o Sawyer de *Lost* e/ou o Sean Astin.

MarkBaynard: Sean Astin? Samwise Gamgee???

Abby_Donovan: Não desrespeite meu hobbit gorduchinho!

MarkBaynard: Eu a julgava mais como uma mulher de Frodo.

Abby_Donovan: Ah! O Frodo era adorável, mas não acharia o próprio traseiro se não tivesse o Samwise para ajudá-lo.

MarkBaynard: Até eu tenho que admitir que o caso deles foi um clássico.

Abby_Donovan: Eu adoro aquela hora, mais para o final do filme, quando o Frodo acorda e percebe que está vivo e o Sam aparece na porta e olha para ele...

Abby_Donovan: ... como se quisesse dizer: "Eu sempre serei seu amigo. Eu sempre o amarei, não importa o que você tenha feito, e não importa o que vier a fazer."

MarkBaynard: "Mesmo que isso inclua tentar roubar o anel do poder e quase destruir o mundo, seu ganancioso sodomita."

Abby_Donovan: Eu sempre achei que seria lindo ter alguém que me visse dessa maneira. Além da Willow Tum-Tum, é claro.

MarkBaynard: E Buffy, a caça-ratos? Ela também não olha para você desse jeito?

Abby_Donovan: Não, ela me olha dizendo: "Se você fosse menor, eu sei que encontraria um modo de comê-la."

MarkBaynard: Agora que já sabemos qual hobbit você gostaria de perverter, pode ser um bom momento para dar o próximo passo no nosso relacionamento.

Abby_Donovan: Eu tenho que conhecer seus pais?

MarkBaynard: Eu nem quero que você conheça meus pais. Nem em um almoço. Nem para um café. Nem no Dia de Ação de Graças.

Abby_Donovan: Eles parecem pessoas bem atraentes.

MarkBaynard: Ah, eles são. Algo como um cruzamento entre os Clampetts e os Bórgias.

Abby_Donovan: Você tem irmãos?

MarkBaynard: Tenho uma irmã mais nova que me adora, e um irmão mais velho que não.

Abby_Donovan: Por quê? A mamãe sempre gostou mais de você?

MarkBaynard: Não, ela gostava menos. A não ser quando bebia. Aí, ela gostava de todo mundo. Principalmente do carteiro, com quem sou bastante parecido.

Abby_Donovan: Como filha única cujos irmãos eram somente imaginários, sempre fui fascinada pela dinâmica familiar.

MarkBaynard: Confie em mim: às vezes imaginar é melhor. É claro que as infláveis também são boas.

Abby_Donovan: Lá vai você novamente. Usando o humor como mecanismo de defesa.

MarkBaynard: Eu aprendi no primeiro ano da escola que é melhor contar uma piada que arrebentar o crânio de alguém.

Abby_Donovan: Pode ser só o seu jeito de manter as pessoas a distância.

MarkBaynard: Eu te contei aquela sobre a filha do bipolar e o filho do bêbado que entram juntos em um bar?

Abby_Donovan: Não, mas acho que um deles tem um cão que fala.

MarkBaynard: E um papagaio mudo de uma perna só.

Abby_Donovan: Então, se eu não conhecer os seus pais (ou o seu papagaio), então qual será o próximo passo no nosso relacionamento?

MarkBaynard: Sou um cara meio à moda antiga, então pensei em convidar você para sair antes de implorar para que me mande uma foto de topless.

Abby_Donovan: Um encontro? Não seria um grande desafio, já que estamos em... continentes... diferentes?

MarkBaynard: Não há desafio grande demais para o Twitter. Só esteja diante de seu computador, sexta-feira, às 7 da noite, e eu irei pegá-la.

Abby_Donovan: Você está presumindo que eu não tenho nada melhor para fazer na noite de sexta que ter um encontro imaginário com um homem que nunca conheci.

MarkBaynard: E tem?

Abby_Donovan: Não.

MarkBaynard: Bom.

Abby_Donovan: Estamos em fusos horários diferentes. Não seria por volta de meia-noite para você?

MarkBaynard: Não me importo. Eu durmo muito mal mesmo.

Abby_Donovan: Então, às 7. Estarei esperando. Hum... que roupa eu coloco? Casual ou formal?

MarkBaynard: Me surpreenda. (Embora eu torça para que você não tenha eliminado totalmente a roupa da estudante católica.)

Abby_Donovan: Boa noite, Lorelai.

Abby_Donovan: Mark? Ainda está aí?

Abby_Donovan: Eu consegui? EU CONSEGUI???!!! Deixei você sem resposta?!

MarkBaynard: Receio que, se eu admitir que assisti *Gilmore girls* você pense que sou gay, e não somente um insone que assiste muita TV.

Abby_Donovan: Como falamos sobre Proteção à Testemunha, que tal um boa noite, Junior?

MarkBaynard: Boa noite, Carmela.

Abby_Donovan: Boa noite, Tony.

MarkBaynard: Boa noite, Meadow.

Abby_Donovan: Boa noite, Sílvio.

MarkBaynard: Boa noite, Adriana.

Abby_Donovan: Boa noite, Grande... hum... Boa noite, Salvatore.

MarkBaynard: Boa noite, Tweetheart...

***

– Boa noite, Tweetheart – Abby sussurrou, colocando seu MacBook para dormir com uma batida de dedo.

Suas mãos continuaram sobre o teclado. Apesar da voz calorosa de Steve Tyrell cantando *For all we know* nos alto-falantes de seu iPod, ela subitamente se sentiu só. Como Mark podia estar do outro lado do mundo se ela podia jurar que ele havia estado naquela sala segundos atrás?

Ela desviou o olhar da tela do computador para fora da janela. Enquanto estava twittando, as nuvens que pairavam sobre a cidade desde cedo haviam finalmente decidido cumprir sua promessa de chuva. Na 5ª Avenida, lá embaixo, guarda-chuvas de cores vivas se abriam, como se saíssem de um livro infantil com pop-ups. O crepúsculo ainda demoraria algumas horas, mas os táxis já haviam acendido seus faróis, banhando as ruas escorregadias da Grand Army Plaza com um brilho prateado. Do outro lado da praça, o vento açoitava as tenras folhas verdes que coroavam os velhos carvalhos do parque.

Apesar do ar melancólico da tarde, Abby quase conseguia sentir o calor do sol em seu rosto. Quase conseguia se ver diante de um terraço de pedra com vinhas se estendendo até onde a vista alcança. Quase podia sentir o aroma das uvas maduras que pendiam, viçosas e pesadas, das videiras.

Ela se virou, com seu vestido floral de verão esvoaçando em volta de seus tornozelos, e deparou-se com um homem parado no terraço. Embora seu rosto estivesse na sombra, ela conseguiu perceber que ele estava sorrindo e que seu sorriso tinha a promessa de que ela nunca mais seria tão sozinha quanto antes de virar-se e encontrá-lo.

Willow Tum-Tum saltou para o seu colo, tirando Abby de seu devaneio ridículo. Suspirando, ela passou os dedos pelo pescoço grosso e macio de Willow, tirando um ronronar de adoração da garganta da gata. Se ela não tomasse logo as rédeas de sua imaginação, teria que começar a escrever os livros românticos que adorava ler secretamente na banheira.

Ela nunca deveria ter se permitido entrar nesta situação. As redes sociais não eram famosas por criar um sentimento falso de intimidade? Como seria possível explicar o fato de ela ter revelado detalhes íntimos sobre sua vida, sua carreira e seu passado a um homem que nunca vira, um homem que provavelmente *nunca* encontraria?

Abby não tinha ousado contar à sua editora sobre o medo que a paralisava toda vez que se sentava ao computador para terminar o Capítulo 5 de seu novo livro. E ninguém, nem mesmo sua melhor amiga, sabia como ela se sentia perdida desde que seu pai morrera.

Seu pai sempre tinha sido seu maior incentivador. Ele podia desempenhar o papel do sujeito grande e durão para suas tropas, mas nunca perdia a oportunidade de ajudá-la com sua lição de casa nem de fazer uma trança em seu cabelo antes de dormir. Se ela participasse de uma peça da escola, ele sempre se sentava na primeira fileira do auditório, cheio de orgulho quando ela proferia suas falas ou dava piruetas pelo palco vestida de Pocahontas ou de uma abóbora de Ação de Graças.

Ela ainda se lembrava de ter telefonado para o pai, tarde da noite, quando estava escrevendo seu livro, para dizer-lhe, aos prantos, que estava tendo dificuldades com uma cena porque o pai da heroína do livro estava morrendo e ela não conseguia escrever uma cena onde o pai morre.

Ele havia pensado por um minuto e dissera: "Tudo bem, querida. Vá em frente e acabe comigo. Todo mundo tem que ir embora, uma hora ou outra."

Quando *Tempo para esquecer* foi publicado, ele encheu o porta--malas de seu carro com caixas e caixas de livros, tentando vender uma cópia para todas as pessoas que encontrava. Seu charme e seu orgulho pelas conquistas da filha única eram tão irresistíveis que ele normalmente acabava vendendo dois.

Abby pegou a fotografia emoldurada que descansava em um canto de sua mesa. Era uma foto embaçada que ela havia tirado de seus pais

– numa época feliz, em que eles provavelmente não tinham muito mais idade do que ela tem agora. Eles estavam em Carolina Beach, tendo a areia e o mar como fundo. Seu pai tinha o braço robusto nos ombros de sua mãe. Ele sorria para a câmera como um menino travesso de 9 anos de idade, enquanto sua mãe ria dele, os olhos dela escondidos por óculos escuros enormes, e seu longo cabelo castanho dançando ao vento. O toque de tristeza que costumava assombrar seu sorriso havia desaparecido, mesmo que só por um instante que levara Abby a congelar aquele momento no tempo.

Até a morte do pai, Abby não percebera que quase não havia fotos dos três juntos. Um deles estava sempre segurando a câmera. Ela lentamente devolveu a fotografia ao seu lugar, com um sorriso triste que lembrava o de sua mãe.

Ela pensou que este fosse o resultado de abrir seu coração para um completo estranho. Ficar divagando sobre fotos antigas enquanto ouvia o lamento solitário de um saxofone, tendo como companhia somente dois gatos.

Abby fechou a tela de seu laptop com um clique decidido. Bater papo e "flertar" com Mark por DM parecia muito inocente, mas marcar um encontro para levar essa relação para o próximo nível parecia muito hipócrita.

Ela olhou para o calendário em sua mesa. Ainda era segunda-feira. Tinha quatro dias para decidir se iria ou não aparecer no horário combinado ou trocaria sua ciberpaquera por um homem real, que pudesse oferecer a ela mais que somente palavras em uma tela.

Abby tinha quatro dias para esquecer Mark Baynard.

Capítulo 5

– Conheci um homem na Internet.

O anúncio de Abby poderia não parecer tão dramático se não tivesse sido cuspido no que parecia ser seu último suspiro. Felizmente, sua amiga Margô estava acostumada com sua respiração ofegante, então não sacou seu BlackBerry e digitou 190, nem saiu de sua esteira ergométrica e foi correndo para o desfibrilador da academia.

Usando a toalha que tinha no pescoço para limpar o suor dos olhos, Abby olhou para o contador digital da esteira. Ela gemeu, achando difícil acreditar que só estava lá há 17 minutos, quando pareciam ser 17 horas. Ela preferia muito mais caminhar longa e calmamente pelo parque ou então se exercitar em casa com um DVD. Sempre tinha odiado correr, a não ser que houvesse alguma coisa a perseguindo – principalmente se fosse um urso faminto.

Ela lançou um olhar ressentido para Margô. Margô tinha os músculos longos e finos e a postura de uma rainha. Ela corria com o cabelo preso em um coque, os olhos cor de cacau fixos em algum reino invisível que ainda lhe faltava conquistar.

Margô não suava. Ela reluzia.

Se Abby não a amasse muito, ela a odiaria.

– Então, eu conheci um homem na Internet – ela repetiu. – Eu sei que isso deve parecer patético.

– Não vindo de uma agorafóbica em desenvolvimento – Margô retrucou. Embora seu passo fosse duas vezes mais rápido do que o de Abby, e seus braços lindamente tonificados estivessem trabalhando feito um par de pistões bem lubrificados, ela ainda era perfeitamente capaz de levar uma conversa normal, de fazer uma encomenda no seu BlackBerry ou cantar uma ária da ópera *La traviata*. – A menos que você goste desses caras que entregam comida chinesa, onde mais você encontraria um homem? Você quase não sai do seu apartamento a não ser para ir ao Starbucks e visitar sua mãe na casa de repouso.

– Ei! Eu saio, sim! Vim encontrar você aqui na academia, não vim?

– E quantas vezes você recusou meus convites para almoçar nos últimos três meses?

– Eu já pedi desculpas por isso. Ando muito ocupada ultimamente.

Margô arqueou uma sobrancelha perfeitamente depilada na direção dela, com expressão mais compassiva do que sarcástica.

– Fazendo o quê? Terminando seu livro?

Abby sentiu a garganta começando a fechar, como sempre acontecia quando alguém mencionava seu trabalho em andamento. Ou seu trabalho SEM andamento.

– Pois fique sabendo que eu posso estar à beira de meu maior avanço criativo.

– Onde? Na página do título? Na dedicatória?

– Bom, ele certamente não será dedicado a *você* desta vez – Abby murmurou para si mesma.

– Escute, meu bem – Margô falou lentamente, fazendo Abby se encolher. Quanto mais doce ficava o sotaque de Margô, mais perigosa ela se tornava. Diziam que ela fazia os homens de sua empresa de corretagem chorarem simplesmente incluindo um "Deus te ama" ou um "Abençoado seja esse coraçãozinho" em seus relatórios de desempenho anuais. – Não quero ser dura com você, mas receio que esteja somente a um passo de se tornar uma gateira louca que fica trancada a sete chaves em seu apartamento 24 horas por dia e faz biscoitos envenenados para as crianças do prédio.

– Eu creio que seja preciso ter mais de dois gatos para ser classificada como gateira – Abby retrucou secamente. – Quarenta e dois é um bom número. E você sabe que sou uma péssima cozinheira, então o envenenamento deverá ser considerado acidental. Além do mais, se eu não entregar alguma coisa para a editora logo, logo, não terei mais apartamento. E acabarei empurrando um carrinho de compras cheio de meus pertences (e meus gatos) pelo parque.

Margô riu com enfado.

– Atualmente, o prefeito nem vai deixar você fazer isso. Você vai é ganhar uma passagem de ônibus para Boca Raton. Só de ida.

– Por mais triste que pareça, esta opção está começando a parecer perfeita. Ouvi dizer que Boca Raton é linda nesta época do ano.

Margô diminuiu o ritmo para equiparar-se ao de Abby: um sinal de que ela havia começado seu relaxamento.

– Então, exatamente onde você conheceu esse cara? www.condenadosfugitivos.com?

– Eu o conheci no Twitter – Abby admitiu com relutância.

– Bem, esse é um bom sinal para um relacionamento duradouro. Pelo menos, se ele a largar, pode fazer isso em 140 caracteres ou menos, o que é muito melhor que um bilhetinho num post-it.

– É um mau momento para lembrar você de que nós nos conhecemos através de um serviço de *speed dating*? – Abby perguntou, referindo-se ao temido jogo tipo "dança das cadeiras" urbano, no qual um grupo de desconhecidos se reúne e você passa de três a oito minutos entrevistando um potencial companheiro para a vida toda antes de passar para o próximo candidato.

Foi somente depois que ela e Margô haviam sorteado seus números e acabaram sentando uma diante da outra à mesa em um apinhado bar no SoHo que elas perceberam que era um serviço de encontros para gays. Elas ficaram ali sentadas olhando-se com constrangimento por mais de um minuto até que Abby não aguentou e disse: "Eu sinto muito, não sou gay. Mas, se eu fosse, acharia você muito atraente".

– Eu também não sou gay – Margô confessou, e teve um acesso de riso. – Mas, se eu fosse, você não seria nem um pouco o meu tipo. Eu ia querer uma bem machona, com tatuagens e cabelo à escovinha.

Elas passaram os oito minutos seguintes comparando suas histórias de horror envolvendo encontros. Quando a campainha soou, sinalizando que o tempo tinha acabado, elas escaparam de fininho por uma saída de incêndio e passaram metade da noite no Back Fence, no Greenwich Village, ouvindo jazz e bebendo martínis de chocolate.

– Com base no modo como nos conhecemos – Abby disse –, nosso relacionamento deveria ter durado cerca de sete minutos e meio, e não três anos.

– O que você sabe sobre esse sujeito?

– O nome dele é Mark... eu acho – ela acrescentou baixinho. – Ele tirou um ano de licença de seu emprego como professor de uma universidade. Seu primeiro casamento terminou mal, possivelmente devido a um adultério... da parte dela, não da dele. Ele conhece muito a cultura pop e a TV clássica. Ah, e ele não se dá bem com a mãe.

– Perfeito. Ele está desempregado, é divorciado, tem problemas com a mamãe e consegue ser melhor do que você em assuntos triviais porque não tem nada melhor para fazer o dia inteiro a não ser ficar sentado assistindo TV. Odeio ter que dizer isso, mas ele não me parece exatamente o cara certo. Nem que seja para passar o tempo. Acho que você poderia pensar no condenadosfugitivos.com. Pode ser que consiga encontrar um cara com emprego, mesmo que seja trabalhando na lavanderia da prisão.

Abby podia sentir sua paciência de esgotando.

– Um ano de licença não é a mesma coisa que estar desempregado. E ele é engraçado, inteligente e me faz rir... coisa que não tenho feito muito ultimamente. E eu sei que a Internet pode criar essa falsa sensação de intimidade, mesmo assim é muito estranho. É como se eu pudesse dizer coisas para ele que não digo para mais ninguém. Coisas que eu não digo nem...

– Para sua melhor amiga? – Margô completou abruptamente.

Abby soltou um suspiro encabulado.

– Ele até me convidou para um encontro na sexta-feira.

– Aaah... um TweetUp? – Margô franziu os lábios vermelhos e brilhantes, parecendo genuinamente intrigada. – Em um lugar público, espero... com o número da emergência programado na discagem rápida do seu celular.

– Bem... não é exatamente um encontro *de verdade*. Eu vou encontrá-lo no Twitter na sexta-feira às 7 da noite. Ele está um pouco... Ele está na Itália.

A confissão forçou Margô a fazer o impensável. Ela desligou sua esteira antes de completar seus 45 minutos de exercícios. Quando a esteira parou totalmente, Abby pensou em pular da sua enquanto ela ainda estava em movimento e bater em retirada para o vestiário. Mas ela sabia que não iria muito longe antes que Margô pulasse sobre ela como um guepardo sobre uma gazela manca.

Margô desceu da esteira e fez uma breve encenação secando o suor inexistente de seu pescoço e peito, sem dúvida para fazer com que Abby se sentisse infimamente melhor em relação à transpiração que ainda pingava de seus seios.

– Querida, eu sei que você não tem saído com muitos homens depois que terminou com o Dean, mas não podia ter escolhido alguém mais acessível? Esse cara só poderia ser menos atingível se ainda fosse casado. O que, pelo que você sabe, e abençoado seja seu coraçãozinho, ele é.

Abby encolheu-se. Se Margô complementasse seu "abençoado seja seu coraçãozinho" com um "Deus te ama", Abby ia acabar contorcendo-se no chão da academia.

– Olha, o Dean me largou há um ano. Você não acha que já é hora de eu experimentar alguma coisa diferente?

– O Dean pode ter se mostrado um cretino traidor, mas pelo menos ele era real. Este sujeito é como o cara do Old Spice, só que sem a toalha e o cavalo. Ele é só uma fantasia. Um terno Armani vazio que você pode preencher com quem você desejar estar.

– Hugh Jackman – Abby murmurou, diminuindo o próprio ritmo para um caminhar letárgico. – Ou o Samwise Gamgee.

– O quê?

Abby balançou a cabeça.

– Nada. – Ela suspirou, tendo esgotado seus argumentos irracionais para contestar as preocupações perfeitamente lógicas de sua amiga. – Eu ainda nem decidi se vou ou não aparecer na sexta-feira. Talvez eu largue tudo isso antes que fuja ao meu controle e ele queira começar a ficar pelado no Skype ou algo assim.

– Ou fazer tweetsexo.

Abby fez uma careta.

– É possível fazer sexo em 140 caracteres ou menos?

Margô revirou os olhos.

– Se você tivesse saído com alguns dos homens com que eu saí, saberia que é possível fazer sexo em 140 *segundos* ou menos.

– Ah, sexo rápido em vez de encontros rápidos. – Abby desligou sua esteira e aproximou-se de Margô. – Eu queria que vocês se conhecessem. Acho que ele ia gostar de você.

Margô lançou o braço magro e esculpido sobre o ombro de Abby enquanto caminhavam para o vestiário feminino.

– Só diga que sou sua petulante, mas inteligente, melhor amiga afro-americana e que se ele te magoar eu dou um chute no traseiro dele que ele vai parar na Lua.

– Devo dizer a ele que seu nome é Chantal ou Bon Qui Qui? "Margô" é muito comum, não acha?

– Só diga a ele que eu sou a Oprah para a sua Gayle.

– Ei, você foi a Oprah na semana passada! É hora de ser a Gayle para a minha Oprah.

– Pode me chamar do que quiser, desde que garantam que a Beyoncé vá me interpretar quando fizerem um filme da minha vida.

– Eu estava pensando em alguém mais do estilo da Kathy Griffin.

Margô deu um malicioso olhar de soslaio e um abraço tão forte em Abby que mais parecia uma chave de braço.

– Faça isso e eu vou chutar o *seu* traseiro branquelo para a Lua.

– Tem razão, Deus abençoe seu coraçãozinho. Pensando bem, talvez o RuPaul esteja disponível. – Livrando-se do braço da amiga, Abby abaixou-se para passar pela porta do vestiário a tempo de escapar da toalhada mortal de Margô.

***

Com os olhos grudados na coluna de Mensagens Diretas no seu Tweetdeck, Abby tomou mais um gole da taça de Chardonnay aninhada na mesa ao lado de seu MacBook. Pela rapidez com que ele estava sumindo, ela deveria ter mantido a garrafa à mão em vez de enfiá-la novamente na geladeira.

Ela nunca se sentira tão ridícula. Nem mesmo quando usou a fantasia de coelho e leu poesias de rima ruim para um bando de criancinhas agitadas.

Não havia motivo para o nervosismo. Ela não estava esperando alguém bater à porta nem o telefone tocar. Mesmo assim, sentia-se tão sensível quanto no dia em que Brad Wooten foi pegá-la para o baile de formatura do primeiro grau. Ele chegou no horário, posou para as fotos obrigatórias e levou-a para o baile em seu Ford Explorer Eddie Bauer Edição Limitada, e depois a largou durante a segunda estrofe de *Good riddance* (*Time of your life*), do Green Day, depois de sua ex-namorada, líder da torcida, sussurrar em seu ouvido que o queria de volta.

Os dois celebraram saindo de fininho para dar uma rapidinha no banco de trás do mesmo Ford Explorer enquanto Abby tentava encontrar um telefone e ligar para seu pai ir buscá-la. Ela conseguiu engolir as lágrimas até seu pai encostar seu velho Toyota no estacionamento dos fundos da escola, onde eles tinham combinado de se encontrar, abrir a porta do carro e dizer: "Vamos, querida. Vamos para casa."

Ela olhou o relógio digital no canto da tela do computador. Eram 18h56. Só três segundos se passaram desde a última vez que ela checara. Considerando quão perto ela tinha chegado de desistir do "encontro", seria irônico se fosse Mark que lhe desse o bolo. Ele devia ter conhecido alguma italiana voluptuosa de olhos negros saída de um filme de Fellini para ajudá-lo a amassar algumas uvas com os pés e se esquecera completamente dela.

Ver seu próprio reflexo na tela só fez Abby se sentir ainda mais boba. Ela havia trocado seu agasalho manchado de café por uma blusa de seda preta e uma calça de linho com corte perfeito. Havia soltado a massa de cabelo cacheado de seu elástico costumeiro, aplicado um quê de brilho cor de pêssego nos lábios e colocado uma gotinha de Obsession atrás de cada orelha.

Uma escolha adequada, considerando que ela também havia depilado as pernas e trocado sua confortável "calcinha da vovó" por uma de renda preta que por pouco não poderia ser considerada fio dental.

Desiludida, ela largou a cabeça sobre o teclado. Se houvesse alguma esperança de manter um fiapo de seu minguado autorrespeito, ela deveria fazer exatamente o que sabia que Margô faria – fechar o laptop e levar sua pessoa perfumada e vestindo uma calcinha quase fio dental para o bar mais próximo, pegar o primeiro estranho passável que a convidasse para dançar e trazê-lo para o seu apartamento para fazer sexo seguro, mas anônimo.

Ou fechar o laptop, ir até o freezer, desenterrar seu sorvete de emergência e devorá-lo de uma só vez enquanto assistia ao Sr. Darcy, interpretado por Colin Firth, sair do lago em Pemberley pela quinquagésima primeira vez na versão da BBC de *Orgulho e preconceito*.

Qualquer uma dessas alternativas seria melhor que sentar-se diante do computador esperando um ciberencontro com um homem de quem ela sabia tão pouco que estava começando a fazer o Fantasma da Ópera parecer extrovertido.

Ela estava esticando o braço para fechar o laptop quando um sinal familiar fez sua pulsação acelerar.

Capítulo 6

Sexta-feira, 13 de maio – 19h01

MarkBaynard: Como está vestida?

Abby_Donovan: Uma gota de Chanel Nº 5 e o vestido de gala de cetim azul que Grace Kelly usou para receber o Oscar por *Amar é sofrer*. E você?

MarkBaynard: A jaqueta de couro de Harrison Ford em *Os caçadores da arca perdida* e os óculos de aviador de Steve McQueen em *Os implacáveis*.

Abby_Donovan: Por falar em implacáveis, foi por um triz que eu não te dei o bolo hoje, sabe?

MarkBaynard: Teve oferta melhor?

Abby_Donovan: É difícil para qualquer homem competir com um pote de sorvete Ben & Jerry.

MarkBaynard: Eu não sabia que você era ligada em sexo a três.

Abby_Donovan: Eu ia incluir o Sr. Darcy e fazer a quatro.

MarkBaynard: Menina safada! E pensar que eu a tinha como uma mulher de Brontë! Como pode resistir aos encantos e inquietações de Heathcliff?

Abby_Donovan: Heathcliff era um cretino misógino.

MarkBaynard: Pode explicar isso para a minha turma básica de literatura? Odeio ver todas aquelas jovens impressionáveis babando como se ele fosse Edward Cullen.

Abby_Donovan: Pessoalmente, sempre preferi o Team Jacob. E Mr. Rochester.

MarkBaynard: Então não se importa se um homem mantém sua esposa louca trancada no sótão?

Abby_Donovan: Não se ele abaixar a tampa do vaso depois de usar. Aonde vamos esta noite?

MarkBaynard: Encontrei um charmoso café em Volterra, próximo daqui. Veja o que acha...

MarkBaynard: http://twitphoto.com/BM7stf

Abby_Donovan: Ah... é um charme! Espere... deixe-me pegar meu lenço de seda e trocar meus saltos por sandálias.

MarkBaynard: Está um ventinho frio. Que tal se eu der uma de cavalheiro e cobrir seus ombros com o meu casaco?

Abby_Donovan: Hummm... obrigada. Ele está perfumado... como sua loção pós-barba. É Michel Germain?

MarkBaynard: Old Spice. Peguei emprestado do meu avô.

Abby_Donovan: Eu preferiria que você tirasse os óculos. Fico nervosa quando não consigo ver os olhos de um homem.

MarkBaynard: Você ficaria mais nervosa se me pegasse olhando para os seus seios enquanto você fala em vez de olhar bem dentro dos seus olhos.

Abby_Donovan: Ou se eu o pegasse olhando bem dentro dos meus olhos quando eu esperava que olhasse para os meus seios.

MarkBaynard: Ah, chegamos. Reservei uma mesa à luz de velas no terraço. Eu ofenderia sua sensibilidade feminista se puxasse a cadeira para você?

Abby_Donovan: Não se você abaixar a tampa do vaso depois de usar.

MarkBaynard: Gosta da música? Eu fiz um pedido especial.

Abby_Donovan: Muito bom! O que é? *O mio babbino caro* de Puccini?

MarkBaynard: Não, *Somebody to smoke wit*, do Insane Clown Posse.

Abby_Donovan: Cruzes! Você tem 15 anos, não tem?

MarkBaynard: O quê? Não é grande fã de hip-hop/trash metal?

Abby_Donovan: Não sou fã de palhaços loucos. Você não viu *Poltergeist*? Não leu *It*, do Stephen King?

MarkBaynard: Prefiro o charme mais amigável do Ronald McDonald. É o Papa Burguer que me assusta.

Abby_Donovan: De repente me deu uma vontade louca de comer um Quarterão. Talvez pudéssemos simplesmente ir jantar no McDonald's.

MarkBaynard: Tem um bem ao lado do KFC na esquina. Epa... tarde demais! Aí vem o garçom com o menu especial.

Abby_Donovan: O que vai comer?

MarkBaynard: Estou a fim de uma focaccia recheada com espinafre fresco e gouda defumado e o ravióli de mascarpone com molho de tomate com vodca. E você?

Abby_Donovan: Acho que vou querer o espaguete à Chef Boyardee.

MarkBaynard: Vou perguntar ao sommelier que vinho ele recomenda para acompanhar. O preço, é claro, não é problema.

Abby_Donovan: Então eu vou querer o Mouton 1945 por 120 mil dólares.

MarkBaynard: O senhor ouviu a moça. Ela vai querer uma Coca diet.

Abby_Donovan: Que pobreza! Eu achei que você pagaria meu vinho com seu fundo fiduciário.

MarkBaynard: Me desculpe. Não tenho acesso a ele até fazer 21 anos, lembra?

Abby_Donovan: Que silêncio constrangedor! Está olhando para os meus seios? Não sei exatamente o que deve acontecer em seguida.

MarkBaynard: Nós nos conhecermos melhor. Não é isso que as pessoas fazem nos primeiros encontros?

Abby_Donovan: Eu sempre ouvi dizer que é no primeiro encontro que as pessoas acham que têm mais coisas em comum. Principalmente se elas se casam depois.

MarkBaynard: Isso eu posso garantir. E minha ex também. Então... papel higiênico... para cima ou para baixo?

Abby_Donovan: Eu era uma "para cima" convicta até eu levantar uma noite e ver que a Buffy tinha desenrolado o rolo inteiro com as patinhas. Ginger ou Mary Ann?

MarkBaynard: Ah, a Mary Ann, com certeza. Todo mundo sabe que aquelas fazendeiras robustas criadas bebendo leite de vaca são fáceis.

Abby_Donovan: Aposto que é um grande fã de Dorothy Gale.

MarkBaynard: Eu sempre preferi a Bruxa Malvada do Oeste. Tão apaixonada. Tão malcompreendida. Tão verde.

Abby_Donovan: O que é possível não gostar numa mulher que deseja matar por um lindo par de sapatos? Yankees ou Red Sox?

MarkBaynard: Braves. Sou de Oxford, Mississippi, não de Oxford, Connecticut. Gilligan ou Skipper?

Abby_Donovan: Thurston Howell III. Qualquer homem com tanto dinheiro pode me chamar de "amoreco" e comer bolachas na minha cama a noite toda. Dorothy, Blanche ou Rose?

MarkBaynard: Sofia. Betty White sempre será o máximo, mas gosto de mulheres com experiência. Angel ou Spike?

Abby_Donovan: Spike. Eu nunca consegui resistir a um babaca com complexo de Billy Idol, sotaque britânico e um senso de humor irritante.

MarkBaynard: Uau! Que alívio. Pelo menos a parte do babaca.

Abby_Donovan: A melhor canção de todos os tempos?

MarkBaynard: Essa é fácil. *Baba o'Riley,* do The Who.

Abby_Donovan: Ah, eu não acho. Isso seria descontar a influência do gênero pop rock de *I think I love you*, de David Cassidy.

MarkBaynard: E você?

Abby_Donovan: Eu o quê?

MarkBaynard: Acha que me ama?

Abby_Donovan: Não seja atrevido. Nem estou certa se gosto de você. Ah... lá vem a comida. Os tomates frescos com o alecrim têm um aroma incrível!

MarkBaynard: Vamos compartilhar o macarrão, feito a Dama e o Vagabundo?

Abby_Donovan: Não a menos que você queira ter um garfo enfiado em sua garganta.

MarkBaynard: Você é uma incrível e incurável romântica! (Esquivando-me da serra da sua faca de pão, estendo a mão e suavemente afasto uma mecha de cabelo para trás de sua orelha.)

MarkBaynard: Abby?

MarkBaynard: Abby? Meu encanto a arrebatou ou faltou luz e você saiu da Internet?

Abby_Donovan: Você me pegou desprevenida. Achei que tivesse corado.

MarkBaynard: Se quiser que eu mantenha as mãos quietinhas, me fale. Eu nem me inclinarei para lamber aquele restinho de molho no canto da sua boca.

Abby_Donovan: Bom. Porque não acredito em lamber logo no primeiro encontro. Espere... isso pareceu tão ruim como eu acho que pareceu?

MarkBaynard: Pior. Agora sou eu que estou corando.

Abby_Donovan: Acho que a gente deveria passar para a sobremesa.

MarkBaynard: Cannoli, biscotti ou tiramisu?

Abby_Donovan: Hummm... cannoli.

MarkBaynard: O garçom quer saber se você gostaria de seu cannoli mergulhado no chocolate.

Abby_Donovan: Se eu dissesse isso para você, soaria muito sacana.

MarkBaynard: Tudo o que você diz soa sacana para mim.

Abby_Donovan: Eu gostaria mesmo era de uma caixa de donuts bem quentinhos.

MarkBaynard: Agora você está provocando. Porque eu nunca conseguiria resistir a lamber o açúcar do canto de sua boca.

Abby_Donovan: Ou do fundo da caixa.

MarkBaynard: Ou do fundo do seu sapato.

Abby_Donovan: Fetiche por pés?

MarkBaynard: Não... fetiche por donuts.

Abby_Donovan: Suspiro... acho que talvez esteja mesmo me apaixonando por você.

MarkBaynard: Se foi assim tão depressa, você talvez seja mais fácil que a Mary Ann. Ou a Ginger.

Abby_Donovan: Como se todo mundo não soubesse que a Ginger estava transando com o professor! Foi por isso que ele nunca consertou o rádio. Ele não queria sair daquela ilha.

MarkBaynard: Se pudesse levar um livro em uma excursão de três horas, que livro seria?

Abby_Donovan: *A fine and private place*, de Peter S. Beagle.

MarkBaynard: "A tumba é um lugar bem reservado, mas ninguém nela está acompanhado" [1] Andrew Marvell.

Abby_Donovan: Segundo o Sr. Beagle, Marvell estava errado.

MarkBaynard: Como assim?

Abby_Donovan: Porque no romance dele os personagens aprendem a aceitar a vida e a morte, e a perceber que só outra pessoa pode dar valor à vida de alguém.

---

[1] Do poema de Andrew Marvell *To his coy mistress*. Tradução de Adriano Scandolara.

MarkBaynard: É nisso que você acredita? Que a vida tem mais significado porque é finita?

Abby_Donovan: Sinto uma ponta de ceticismo.

MarkBaynard: Só não estou convencido de que aquele pobre coitado que termina a vida vomitando as entranhas em uma lata de lixo no hospital possa concordar com você.

Abby_Donovan: E você? No que acredita?

MarkBaynard: Que a vida tem significado simplesmente porque é... vida. Você não precisa sair e bater a sua BMW num poste para dar valor a ela.

Abby_Donovan: E onde fica a morte? Ela não tem significado?

MarkBaynard: Existem mortes significativas. E existem o absurdo e as mortes absolutamente sem sentido. Infelizmente, a gente não pode escolher qual delas vai ter.

Abby_Donovan: A menos que seja Sylvia Plath.

MarkBaynard: É por isso que você tem um forno elétrico? Menos tentação?

Abby_Donovan: Se eu tivesse que escolher uma morte dramática entre os escritores, entraria na água com os bolsos cheios de pedras, como Virginia Woolf. E você?

MarkBaynard: Minha morte preferida? Morrer engasgado com donuts. A menos que "nenhuma das mortes acima" seja uma opção.

Abby_Donovan: Só se for um vampiro. O que nos leva de volta a Spike. Buffy ou Faith?

MarkBaynard: O que nos leva de volta ao triângulo.

Abby_Donovan: Inclua a Drusilla e teremos um quarteto.

MarkBaynard: Eu sempre fui um cara de uma mulher só. Foi assim que acabei casando com a minha namorada da escola quando tinha 22 anos.

Abby_Donovan: Sabe, pode ser falta de educação falar de sua ex-mulher no primeiro encontro.

MarkBaynard: Ah, eu não sabia. A gente nunca sabe se está falando com a próxima ex.

Abby_Donovan: Quanto tempo ficou casado?

MarkBaynard: 9 anos, 11 meses e 17 dias. Me salvou de ter que comprar um presente de aniversário caro.

Abby_Donovan: É, os advogados de divórcio são TÃO mais baratos. Vocês foram o famoso casal que casou muito cedo?

MarkBaynard: Provavelmente. Quando eu estava pronto para crescer, ela estava pronta para partir.

Abby_Donovan: Filhos?

MarkBaynard: Um filho. Dylan. Ele faz 4 anos em novembro.

Abby_Donovan: Eu sabia! Era por isso que você e o Tinky Winky e o Coelhinho Biff são BFFs, não é?

MarkBaynard: Ah, o Biff e seu (sua) adorado(a) porco-espinho Henry/Henrietta. Seu amor não correspondido é realmente inesquecível. Desde que você tenha 3 anos de idade.

Abby_Donovan: Seu filho ganhou esse nome por causa de Bob Dylan ou de Dylan Thomas?

MarkBaynard: Do Dylan de *Barrados no baile*. Se tivéssemos gêmeos, eu os chamaria de Brandon e Brenda.

Abby_Donovan: Ele está viajando com você?

MarkBaynard: Não. Ele está com a mãe agora. Espero vê-lo em breve. E você, já desfilou pelo corredor da igreja?

Abby_Donovan: Não. Eu fiquei noiva por um tempo quando vim para Nova York, mas ele terminou comigo antes que eu pudesse fazer dele o Sr. Abigail Donovan.

MarkBaynard: Sentiu-se ameaçado pela carreira meteórica?

Abby_Donovan: Ele preferia artistas que passam fome. Me largou por uma escultora do Soho que nunca fez uma exposição.

MarkBaynard: O que ela esculpia?

Abby_Donovan: Basicamente cópias em gesso do pênis dele.

MarkBaynard: Especializada em miniaturas, é?

Abby_Donovan: Agora eu SEI que estou realmente me apaixonando por você.

MarkBaynard: Ele te magoou?

Abby_Donovan: A favor dele, tem o fato de eu não saber com certeza se o amei de verdade. Prefiro guardar isso tudo na minha caixa de segurança no banco.

MarkBaynard: Deixe-me adivinhar. Você dorme com a chave debaixo do travesseiro.

Abby_Donovan: Estou começando a pensar que eu talvez a tenha perdido. Permanentemente.

MarkBaynard: Eu conheço um chaveiro fabuloso. Vou dar o seu telefone para ele algum dia...

MarkBaynard: Somos os últimos no café e eu acredito que o maître toscano de olhos lindos está secando a gente. Vamos embora?

Abby_Donovan: Eu diria "para a sua casa ou para a minha?", mas, como já combinamos que eu não posso lamber no primeiro encontro...

MarkBaynard: Mas a noite está tão bonita. Que tal se caminhássemos até a vila onde você está hospedada?

Abby_Donovan: A vila do século 16 com piso de mármore, teto decorado com afrescos de Michelangelo e adega climatizada?

MarkBaynard: Essa mesmo. Você vai pagar meu jantar, certo?

Abby_Donovan: Então (Eu digo enquanto entramos por um beco com chão de pedra), como acabou lecionando literatura inglesa? Amor pelos livros ou porque gosta de moldar mentes jovens?

MarkBaynard: Amor por ser efetivado antes de chegar aos 35 anos. Os livros e as mentes jovens eram benefícios extras, junto com o plano de aposentadoria e a assistência odontológica.

Abby_Donovan: Não estou acreditando neste cinismo material, Sr. Baynard. Estou convencida de que há um coração machucado batendo por baixo de todo esse sarcasmo.

MarkBaynard: Para seu conhecimento, escolhi literatura inglesa porque queria ir trabalhar com aqueles casacos xadrez com couro nos cotovelos.

Abby_Donovan: Vai ficar lindo na sobrecapa do seu primeiro romance.

MarkBaynard: Sem falar que era a única escolha vocacional possível para um garoto que levava uma pasta para a escola primária.

Abby_Donovan: Eu também fazia isso!

MarkBaynard: É, mas quando é uma garota eles não roubam o dinheiro do seu almoço e, para completar, ainda te dão um empurrão de troco.

Abby_Donovan: Você não me disse que livro um professor de literatura inglesa levaria numa excursão de três horas.

MarkBaynard: O *Kama Sutra*, é claro. Principalmente se Ginger e Mary Ann estivessem nela.

Abby_Donovan: E se você tivesse que escolher um livro SEM fotos? Tolstói? Dickens? Updike?

MarkBaynard: O *Coelhinho Biff* não serve, certo? Que tal *A prayer for owen meany*, de John Irving?

Abby_Donovan: Mesmo? Eu achei que você fosse mais um fã de Hunter S. Thompson.

MarkBaynard: Ele era excêntrico, mas Irving, assim como Jerry Seinfeld, sabe que a única maneira de sobreviver nesta vida é vê-la como um tipo de tragicomédia absurda.

Abby_Donovan: Não importa quão trágico ou cômico, todos os livros de Irving incorporam uma percepção profunda do destino.

MarkBaynard: Talvez este seja o apelo secreto que eles exercem sobre mim. Em um romance de John Irving, ninguém sofre uma morte inútil. Ah, chegamos à sua vila.

Abby_Donovan: Quer seu casaco de volta?

MarkBaynard: Fique com ele. Assim terei uma desculpa para telefonar novamente.

Abby_Donovan: O que o faz pensar que vou atender?

MarkBaynard: Porque você se importa o suficiente para se fazer de difícil.

Abby_Donovan: Talvez eu só esteja entediada porque meu caloroso amante italiano está correndo com sua Ferrari na Fórmula 1 de Monza.

MarkBaynard: Ele perde. Eu ganho.

Abby_Donovan: Por que está me olhando desse jeito?

MarkBaynard: Estou tentando decidir se devo te dar um beijo de boa-noite.

Abby_Donovan: Estou tentando decidir se quero que você me beije.

MarkBaynard: Eu, definitivamente, quero beijar você, mas não quero assustá-la.

Abby_Donovan: Não me assusto assim tão fácil.

MarkBaynard: Então por que está tremendo? (Eu me inclino e roço os lábios suavemente em sua têmpora, inalando o aroma de seu xampu de morango.)

Abby_Donovan: É Paul Mitchell. Não uso xampu de morango desde a 6ª série.

MarkBaynard: (Então eu me viro e vou embora, e epítome do cool Steve McQueen, cantarolando *Perfect day*, do Lou Reed, enquanto você fica olhando demoradamente para mim.)

Abby_Donovan: Boa noite, Sawyer. (Eu o chamo, admirando seu estudado andar encurvado.)

MarkBaynard: Boa noite, Freckles. (Eu digo olhando para trás.)

Abby_Donovan: Boa noite, Hurley.

MarkBaynard: Boa noite, Juliet.

Abby_Donovan: Boa noite, Dr. Jack.

MarkBaynard: Boa noite, Penny.

Abby_Donovan: Boa noite, Desmond.

MarkBaynard: Boa noite, Sun.
Abby_Donovan: Boa noite, Smoke Monster.
MarkBaynard: Boa noite, Tweetheart...

Por um bom tempo depois de Mark desaparecer, Abby continuou a olhar para seu Tweetdeck com olhos encantados. Vários novos tweets de pessoas que ela seguia pipocaram na coluna à esquerda da tela, mas sua coluna de mensagens diretas continuava vazia. De qualquer maneira, não era a tela que ela estava vendo, mas um homem distanciando-se dela por um sinuoso beco de pedras, envolto em sombras e luar.

Ele se virou, olhando para ela com os olhos cheios de humor e suavidade. Ela fez uma careta. Por mais que tentasse, não conseguia imaginar nenhum rosto. Ele não era Hugh Jackman, nem Jude Law, nem Steve McQueen. Ele era o Mark. Mark, somente.

Um amigo e um estranho.

Ela tocou seu rosto, lembrando-se da estranha sensação que tivera nas duas vezes em que ele fingiu tocá-la. Ela tentou lembrar a última vez que sentira aquele arrepio – a promessa velada de que algo mágico estava prestes a acontecer.

Teria sido assim da primeira vez que Dean a beijara? Ela franziu a testa, esforçando-se para lembrar exatamente onde esse beijo tinha acontecido. Nas escadas do Metropolitan depois de uma exposição de Frida Kahlo? Ou durante o risoto de cogumelos do Balthazar, na Rua Spring? Só fazia pouco mais de um ano desde que eles haviam terminado, mas ela mal podia lembrar o primeiro encontro, muito menos o primeiro beijo. Até o rosto de Dean ficava cada vez mais apagado em sua lembrança, como um ator quase não reconhecido de algum filme em preto e branco que ela vira quando criança.

Ela certamente deve ter sentido esse arrepio durante seu primeiro ano em Wake Forest, quando entregou seu corpo e sua alma a um estudante de artes gráficas com barriguinha sarada que fumava um maço de Camel sem filtro por dia e tinha os olhos sonolentos com cílios pretos, iguais aos de um jovem Al Pacino. Ela sempre fora uma boa menina, e ele tinha sido sua primeira paixonite para valer. Pensando bem, o que ela sentira naquela noite não tinha sido exatamente um arrepio, mas mais uma onda estonteante de luxúria, seguida por uma sirene em sua cabeça alertando que ela estava prestes a cometer um erro terrível do qual nunca se arrependeria.

Que nada, ela tinha certeza de que a última vez que ela sentira esse arrepio tinha sido na 4ª série, quando Chris McClain lhe passara um bilhete durante o almoço dizendo: "Você é muito bonita. Se me der seu pedaço de bolo, serei seu namorado." (É claro que ele a largou na semana seguinte por uma menina cuja mãe colocava bolinhos Ana Maria em sua lancheira do New Kids on the Block.)

Então, como explicar aquela excitação que tinha feito os pelos de sua nuca se eriçarem quando Mark simplesmente fingira encostar os lábios de leve em sua têmpora? Será que Margô estava certa? Seria ele o amante perfeito para uma agorafóbica, uma mulher que havia erguido tantas paredes em torno de seu coração que corria o risco de acabar aprisionada atrás delas para sempre?

Abby distraidamente estendeu o braço para pegar a taça de vinho, sorrindo quando ela tocou seus lábios. Negligenciado e esquecido, o Chardonnay no fundo da taça havia esquentado enquanto ela bebia uma Coca diet com seu parceiro imaginário em um café muito real do outro lado do mundo.

Capítulo 7

Quarta-feira, 18 de maio - 14h53

MarkBaynard: Como está vestida?

Abby_Donovan: Agasalho com manchas de café e as orelhas e cauda de coelhinha da *Playboy* que Elle Woods usou para ir à loja de computadores em *Legalmente loira*. E você?

MarkBaynard: O chapéu de papel-alumínio que Joaquin Phoenix usou para evitar o controle da mente por alienígenas em *Sinais* e a tatuagem "Wino Forever" de Johnny Depp.

Abby_Donovan: Aquela tatuagem que dizia "Winona" antes de ele e a srta. Ryder terminarem?

MarkBaynard: Essa mesmo. Pense só: se eu tatuar seu nome no meu traseiro, eu poderia mudar para "Flabby"[2] depois que você me largasse.

Abby_Donovan: Acalme-se, coração meu! Eu estava começando a pensar que você fosse um desses caras que não twittam depois do primeiro encontro.

---

[2] Em inglês, *flabby* significa flácido, mole, frouxo. (N.T.)

MarkBaynard: Eu não queria parecer ansioso demais... ou patético demais.

Abby_Donovan: Bom, uma dessas coisas não é tão ruim.

MarkBaynard: Sentiu saudade?

Abby_Donovan: Um pouquinho. Tenho vergonha de admitir que me peguei twittando para você na minha cabeça mais do que uma vez nos últimos dias.

MarkBaynard: Se eu não estivesse usando aquele chapéu de papel de alumínio, poderia ter ouvido. O que você disse?

Abby_Donovan: Só observações aleatórias: um dia sem pelos de gato em seu café é como... um dia sem pelos de gato em seu café.

MarkBaynard: Eles não sabem que comida realmente É amor?

Abby_Donovan: As pessoas que fazem xixi no chuveiro acham que são multitarefa?

MarkBaynard: Bom, agora que você mencionou...

Abby_Donovan: Existe alguém que NÃO fez uma fita de sexo com a Pam Anderson?

MarkBaynard: Bom, agora que você mencionou, teve aquela noite no Rio...

Abby_Donovan: E então, em que lugar do mundo está Mark Baynard hoje?

MarkBaynard: VISTA DO MEU iPHONE: http://twitphoto.com/MB7stg

Abby_Donovan: Finalmente você chegou a Florence, Alabama! Me diga o que está fazendo para que eu possa viver precariamente através de você.

MarkBaynard: Sentado diante da Fonte de Netuno na Piazza della Signoria, ouvindo os sinos da San Miniato tocarem a cada hora.

Abby_Donovan: Suspiro... estou sentada diante de um prato de mingau de aveia ouvindo Buffy, a caça-ratos, cuspir uma bola de pelos no meu carpete.

MarkBaynard: E como está indo o livro hoje?

Abby_Donovan: VISTA DO MEU LAPTOP: http://tweetpic.com/2825190611

MarkBaynard: Devo perguntar por que você tem um gorila de pelúcia subindo no seu computador? Ou por que você tem um gorila de pelúcia?

Abby_Donovan: Tenho esperanças de que ele me carregue para o alto do Empire State, se eu não concordar em ser sua noiva.

MarkBaynard: Outro dia sem escrever?

Abby_Donovan: Está se configurando como um dia de dois frappuccinos. Um no período da manhã com otimismo ilimitado. Um para o período da tarde por puro desespero.

MarkBaynard: Já pensou em complementar sua renda como escritora fazendo um acordo com o Starbucks?

Abby_Donovan: Edgar Allan Poe tinha seu ópio e eu tenho os meus frappuccinos. Essa é a difícil situação dos artistas atormentados.

MarkBaynard: Pelo menos se você acabar na sarjeta, como Poe, os transeuntes compassivos podem jogar moedas em sua caneca de plástico.

Abby_Donovan: Que eu provavelmente usarei para comprar mais frappuccinos.

MarkBaynard: Talvez uma segunda visita ao Starbucks hoje não seja má ideia. Quem sabe você precise mudar de cenário.

Abby_Donovan: Hoje de manhã eu vi um dos gatos com o canto do olho e comecei a falar com ele. Depois, percebi que era meu chinelo.

MarkBaynard: É pior se você não tem um gato. E acaba de tomar uma jarra de Bellini. E então, o que escreveu hoje?

Abby_Donovan: Sete atualizações no Facebook, um blog como convidada, e cerca de 400 tweets.

MarkBaynard: Então, *grosso modo*, o equivalente a um conto longo, certo?

Abby_Donovan: É. Só que não recebi nada por isso.

MarkBaynard: Ninguém a respeitará se trabalhar de graça.

Abby_Donovan: Foi isso que mamãe me disse quando eu estava na escola. Eu simplesmente não entendo por que não sou paga para twittar.

MarkBaynard: Eu poderia te mandar uma moeda de dez centavos por mensagem direta.

Abby_Donovan: Se subir para um dólar, negócio fechado.

MarkBaynard: Você deve estar fazendo alguma coisa certa. Eu notei que tem 666 seguidores.

Abby_Donovan: Devo me alarmar?

MarkBaynard: Só se você começar a ouvir o tema de *A profecia* em sua cabeça.

Abby_Donovan: Você acha que twittar obsessivamente conta como hobby ou vício?

MarkBaynard: Hobby. Foi o que eu usei para dizer a mim mesmo sobre *A lenda de Zelda* depois de jogar 37 horas sem comer nem dormir.

Abby_Donovan: Às vezes eu acho que não consigo escrever porque a Internet está sufocando minha mente com banalidades. Você sabia que estamos no Mês da Consciência sobre Gordura nos Tornozelos?

MarkBaynard: Isso existe? É contagioso? Transmissível sexualmente?

Abby_Donovan: É o que acontece quando seu tornozelo desaparece por baixo de uma camada de gordura e sua barriga da perna parece que está diretamente ligada ao pé.

MarkBaynard: Fico feliz que estejam dando atenção a esse terrível problema de saúde. Existe uma fundação para a qual eu possa fazer uma doação?

Abby_Donovan: Não estaria rindo se VOCÊ tivesse isso.

MarkBaynard: Por mais estranho que pareça, acho que estaria. Então, o que levou você a se tornar escritora?

Abby_Donovan: Eu sentia que tinha algo a dizer sobre a minha vida. Uma história para contar. Mas agora que eu já contei essa história...

MarkBaynard: Talvez seja o momento de contar a história de outra pessoa.

Abby_Donovan: Nós não devemos escrever sobre o que sabemos?

MarkBaynard: Eu sempre pensei que seria mais divertido escrever sobre o que eu não sabia. Achava que isso me daria um material infinito.

Abby_Donovan: Eu não disse isso a ninguém, mas às vezes acho que eu estaria melhor se meu primeiro livro não tivesse ido parar no alto da lista dos mais vendidos.

MarkBaynard: Ah... a fantasia romântica de ralar na obscuridade! Você poderia estar passando fome num porão em vez de estar morando num apartamento elegante com vista para o Central Park.

Abby_Donovan: Como soube que eu moro num apartamento elegante?

MarkBaynard: Porque ele tem vista para o Central Park.

Abby_Donovan: Quando você começa no topo, para onde pode ir a não ser para baixo?

MarkBaynard: Talvez seja mais parecido com uma montanha-russa: um mergulho para o fundo seguido de uma subida lenta e estável para o pico mais alto de todos.

Abby_Donovan: Montanhas-russas me dão ânsia de vômito.

MarkBaynard: Então talvez seja mais parecido com a xícara maluca. Ah, espere... A xícara maluca me dá ânsia de vômito.

Abby_Donovan: Então, quando vai começar a escrever o SEU romance? (ela perguntou enfaticamente)

MarkBaynard: Ainda estou (hum-hum) na fase de planejamento. Bom, na verdade estou planejando o planejamento. Ainda não cheguei à fase de planejar o que escrever.

Abby_Donovan: Suspiro... eu me lembro dessa época. Eu sempre "crio um ninho" antes de mergulhar em um projeto. Tiro o pó dos rodapés. Coloco todas as fotos em álbuns etc.

MarkBaynard: Acho que isso se chama enrolar.

Abby_Donovan: Prefiro procrastinar, muito obrigada.

MarkBaynard: Talvez você só precise aprender a aceitar seu ritmo natural, na vida e na escrita.

Abby_Donovan: Mesmo que meu ritmo natural pareça ser a indolência completa seguida por explosões histéricas de atividade enlouquecida?

MarkBaynard: Para mim, funciona. Embora eu ainda não tenha chegado ao estágio de atividade enlouquecida. Nem de atividade.

Abby_Donovan: Tem interesse em escrever sobre o quê?

MarkBaynard: Uma mulher inteligente e talentosa que conhece um homem misterioso, mas estranhamente irresistível, no Twitter.

Abby_Donovan: Que então vem ao elegante apartamento dela no Central Park no meio da noite e a assassina com um machado?

MarkBaynard: Pode ser com clorofórmio, também. Você se importa em deixar uma chave debaixo do capacho? Não sou muito bom para arrombar.

Abby_Donovan: Não tenho capacho, mas posso deixar seu nome com o porteiro e dizer ao pessoal da limpeza para guardar bastante cândida e sacos de lixo.

MarkBaynard: Não esqueça a lixívia e o tambor de 500 litros.

Abby_Donovan: Minha amiga Margô tentou me alertar. Ela disse que você devia ser um condenado fugitivo.

MarkBaynard: Não seja ridícula. Eles têm que me pegar primeiro.

Abby_Donovan: Quando eu contei a ela sobre o nosso "encontro no Twitter", ela me falou de uma coisa chamada... (ouso dizer o nome em voz alta?)... tweetsexo?

MarkBaynard: Acho que acabo de ver dois pardais fazendo isso da janela da minha pensão. Parecia divertido.

Abby_Donovan: Sexo em 140 caracteres ou menos. Já ouviu falar de algo tão ridículo?

MarkBaynard: Depende. Também existem tweetgasmos?

Abby_Donovan: Acho que soa completamente desumanizado.

MarkBaynard: Eu sou homem. Nunca recusamos sexo, por mais ridículo que ele seja. Ou desumano. Acho que devíamos tentar. Você primeiro.

Abby_Donovan: Você TEM que estar brincando comigo.

MarkBaynard: Ainda não decidi. Experimente e eu lhe direi.

Abby_Donovan: Está rindo de mim, não está? NÃO estou usando um chapéu de papel-alumínio. Eu posso ouvir você!

MarkBaynard: O que você tem a perder?

Abby_Donovan: Além do meu orgulho? Minha dignidade? Meu autorrespeito?

MarkBaynard: Covarde! Medrosa! Ai, ai, ai.

Abby_Donovan: Se acha que vou deixá-lo me pressionar para fazer uma coisa tão fútil, tão ridícula, tão degradante...

MarkBaynard: Eu duvido e faço pouco.

Abby_Donovan: ... você pode então fechar os olhos e imaginar que estou passando minha língua quente e úmida ao longo de seu...

MarkBaynard: Hum... Abby... você se esqueceu de mandar esse último tweet como Mensagem Direta. O que significa que todos os seus 666 seguidores acabam de lê-la.

Abby_Donovan: Ai, meu Deus.

MarkBaynard: E todos os seus seguidores homens acabam de fechar os olhos para imaginar você passando a língua úmida e quente ao longo dos seus pulsantes...

Abby_Donovan: Ai, meu Deus.

MarkBaynard: Mas olhe! Agora você tem 678 seguidores!

MarkBaynard: 682!

MarkBaynard: 706!

MarkBaynard: 732! Nossa, você é mais gostosa que a Br*tney Sp*ars!

Abby_Donovan: Eu queria estar morta.

MarkBaynard: Está corando? Você fica tão linda assim!

Abby_Donovan: Eu queria que VOCÊ estivesse morto.

MarkBaynard: Eu estava só brincando com você! Não achei que você fosse fazer de verdade. 747!

Abby_Donovan: Eu vou caçar você. Posso levar o resto da minha vida, mas eu VOU te encontrar. E, quando isso acontecer, vai sofrer uma morte lenta e dolorosa.

MarkBaynard: Vai precisar de mais que isso para me assustar. Eu já sobrevivi a três horas sentado vendo a montagem teatral de *O rei leão*.

Abby_Donovan: Eu tenho que ir agora. Talvez não seja tarde demais para me inscrever no Programa de Proteção à Testemunha.

MarkBaynard: 756!

Abby_Donovan: Boa noite, Primo Itt. (ela disse com escárnio)

MarkBaynard: Boa noite, Cara Mia. (ele respondeu carinhosamente com sotaque italiano fajuto)

Abby_Donovan: Boa noite, Coisa.

MarkBaynard: Boa noite, Wandinha.

Abby_Donovan: Boa noite, Feioso.

MarkBaynard: Boa noite, Vovó.

Abby_Donovan: Boa noite, Tropeço.

MarkBaynard: Boa noite, Tweetheart...

* * *

Sábado, 21 de maio – 15h37

MarkBaynard: Como está vestida?

Abby_Donovan: Agasalho com manchas de café e a tiara de Audrey Hepburn em *Bonequinha de luxo*. E você?

MarkBaynard: O uniforme de Tim Allen com a manga rasgada em *Heróis fora de* órbita e a corcunda de Igor em *Jovem Frankenstein*.

Abby_Donovan: Que corcunda?

MarkBaynard: Agora é a minha vez de propor. Venha comigo ao vivo, seja meu amor e assista *Jovem Frankenstein* e/ou *Banzé no Oeste* pelo menos uma vez por semana?

Abby_Donovan: Inclua *Clube dos pilantras, O clube dos cafajestes* e *Apertem os cintos, o piloto sumiu* e fechamos.

MarkBaynard: Você também fará bebês comigo?

Abby_Donovan: Pare de tentar me enrolar. Ainda estou aborrecida.

MarkBaynard: Por quê? Graças a mim, você chegou a 1.075 seguidores!

Abby_Donovan: Seguidores... predadores... perseguidores... é tudo questão de semântica.

MarkBaynard: Só quando se trata de obter ordens judiciais de restrição.

Abby_Donovan: Sabe quantas pessoas eu tive que bloquear nos últimos dois dias?

MarkBaynard: 452?

Abby_Donovan: Recebi dezenas de tweets sacanas, quatro propostas de casamento e um cântico de exorcismo de um padre de vodu que quer me libertar de meus demônios sexuais.

MarkBaynard: E qual oferta você vai aceitar?

Abby_Donovan: Provavelmente a do assassino de aluguel que ofereceu seus serviços em troca de meus favores sexuais. E você, onde estará na semana que vem?

MarkBaynard: No fundo do rio Hudson, se você e seu novo namorado tiverem algo a dizer sobre isso.

Abby_Donovan: Se eu não estivesse tão extrovertida, nem estaria twittando com você.

MarkBaynard: Acho que senti um distúrbio na força. Por que está tão séria?

Abby_Donovan: VISTA DO MEU LAPTOP: http://tweetpic.com/282590612

MarkBaynard: É o burro do Shrek? Ele parece bem mais feliz que o gorila.

Abby_Donovan: É porque aconteceu uma coisa maravilhosa comigo hoje.

MarkBaynard: Começou o Capítulo 6?

Abby_Donovan: Não TÃO maravilhosa assim, embora eu tenha tido algumas novas ideias intrigantes depois da última vez que twittamos.

MarkBaynard: Fui eu. Mark Baynard, professor de literatura inglesa e inspiração para mulheres de todo o mundo.

Abby_Donovan: Fiquei animada porque minha agente ligou dizendo que minha editora quer que a gente almoce com ela no Le Bernardin na segunda-feira.

MarkBaynard: Está animada para ver sua editora ou para almoçar de graça em alguma espelunca francesa de classe?

Abby_Donovan: Na verdade, os dois. Minha editora não tem sido muito receptiva com meus telefonemas ultimamente, então devo presumir que é um Sinal Muito Bom.

MarkBaynard: Como ter a Sandra Bullock estrelando o filme baseado no seu livro?

Abby_Donovan: Eu gosto da Sandra, mas eu gostaria de ter a Kate Winslet ou a Renée Zellweger.

MarkBaynard: Ouvi dizer que a Pamela Anderson estava disponível.

Abby_Donovan: Não seria ESSE tipo de filme.

MarkBaynard: Seria, se a Pam Anderson participasse dele.

Abby_Donovan: Quando eu mostrar à minha editora os primeiros cinco capítulos e compartilhar minhas novas ideias, tenho esperança de que ela não se importará de me conceder uma extensão no prazo.

MarkBaynard: Quantas ela já concedeu até agora?

Abby_Donovan: Não consigo ouvir você! Está cortando! Você está passando por um túnel?

MarkBaynard: Tantas assim, é?

Abby_Donovan: É que não tenho conseguido fazer muito progresso desde que perdi meu pai. Talvez eu só precise sentir que alguém ainda acredita em mim.

MarkBaynard: Eu acredito em você. Mas não acho que vá importar muito até que você comece a acreditar em si mesma.

Abby_Donovan: Muito obrigada, Dr. Phil.

MarkBaynard: Gosto de pensar em mim mesmo como uma Deanna Troi machona. Ou talvez o Yoda durante sua fase do pântano de Dagobah.

Abby_Donovan: É só o que um escritor precisa. O mestre Jedi dos pronomes mal colocados.

MarkBaynard: Profundamente ofendido com seu cruel escárnio.

Abby_Donovan: Seu fantoche pretensioso! E já que tocamos no assunto, você parece direitinho com a Srta. Piggy quando você tenta fazer kung fu.

MarkBaynard: Ainda está falando com o Yoda, certo? Porque sou muito mais parecido com o cozinheiro sueco quando tento fazer kung fu.

Abby_Donovan: O cozinheiro sueco poderia colocar o Yoda para correr. Usando principalmente aqueles cutelos.

MarkBaynard: Devo te apoiar e perguntar o que vai usar nesse almoço?

Abby_Donovan: Não a menos que seja Adam Lambert. Você liga mesmo para o que eu vou usar?

MarkBaynard: Não.

Abby_Donovan: Nem eu. Sou a única mulher que conheço que detesta comprar roupas. Eu queria que alguns elfos viessem ao meu apartamento todas as manhãs para me vestir.

MarkBaynard: É, mas aí você acabaria usando aqueles sapatos pontudos com sininhos.

Abby_Donovan: Pelo menos os pássaros poderiam me ouvir chegando.

MarkBaynard: Você deveria fazer o que Einstein fazia. Ter um terno idêntico para cada dia da semana. E guardar a sua inteligência para atividades mais importantes.

Abby_Donovan: Como criar a Teoria da Relatividade e explorar a mente de Deus? Ou twittar?

MarkBaynard: Ouvi dizer que Einstein era mais ligado no Facebook. Acho que foi ele que inventou o Mafia Wars, não foi?

Abby_Donovan: Acho que foi o Farmville. Ou talvez o Relativityville.

MarkBaynard: É tudo relativo, não é? E se NÓS tivéssemos nos conhecido no Facebook?

Abby_Donovan: Provavelmente já estaríamos casados.

MarkBaynard: E com dois filhos.

Abby_Donovan: E um utilitário esportivo híbrido.

MarkBaynard: E uma segunda hipoteca.

Abby_Donovan: E uma casa de férias nos Hamptons.

MarkBaynard: E... ah, deixa pra lá. Se tivéssemos nos conhecido no Facebook, a esta altura já estaríamos divorciados.

Abby_Donovan: Provavelmente porque você não me ajudaria a escolher os sapatos certos para esta reunião com minha editora.

MarkBaynard: Esqueça os sapatos. Você precisa é de atitude.

Abby_Donovan: Oh-ho! Agora estou MESMO em apuros.

MarkBaynard: Tente imaginar-se neste almoço com um ar produtivo, confiante e bem-sucedido além dos seus sonhos mais loucos.

Abby_Donovan: Acrescente "alegremente ingênua" e "Oprah Winfrey" ao almoço e estará descrevendo a pessoa que eu era quatro anos atrás.

MarkBaynard: Eu provavelmente não teria gostado dela o tanto quanto gosto de você. Mulheres amargas e insensíveis são muito mais divertidas.

Abby_Donovan: Talvez eu devesse me imaginar como a Bette Davis em *A malvada*. Vou sair e comprar uma piteira hoje à tarde.

MarkBaynard: Ou, melhor ainda, a Sharon Stone em *Instinto selvagem*. Mas com calcinha. Ou não.

Abby_Donovan: Minha terapeuta massagista (quando eu ainda podia pagar) acreditava muito em visualização guiada...

Abby_Donovan: "Você está caminhando por um bosque sombreado quando vê um esquilo tagarelando."

MarkBaynard: E se ele tiver raiva?

Abby_Donovan: Eu preferia estar "deitada em uma varanda banhada pelo sol quando Russell Crowe entra usando somente sua tanguinha de *Gladiador*".

MarkBaynard: Engraçado, mas eu nunca penso no Russell durante uma massagem.

Abby_Donovan: Eu achava que você fosse mais fã do Clooney.

MarkBaynard: Se quer saber a verdade, eu nunca fiz massagem.

Abby_Donovan: Ah, pobre criatura! Eu simplesmente adoro pagar estranhos para esfregarem meu corpo!

MarkBaynard: Que bom que foi uma mensagem direta, ou você teria ganhado mais 342 seguidores/perseguidores/predadores.

Abby_Donovan: Eu tinha uma terapeuta massagista, o que tornava um pouco constrangedor quando eu falava sem pensar "Casa comigo?" enquanto ela esfregava os lóbulos das minhas orelhas.

MarkBaynard: Não se você estiver fazendo uma massagem no Meatpacking District.

Abby_Donovan: Você passou muito tempo em Nova York ou é só um dos fãs héteros de *Sex and the city* que não saem do armário?

MarkBaynard: Eu lecionei no ensino médio por cinco anos enquanto fazia meu mestrado. Eu levava os alunos mais velhos a Nova York toda primavera para assistir a uma peça da Broadway.

Abby_Donovan: Há quatro anos, eu vim passar um fim de semana prolongado e visitar minha agente, me apaixonei pela cidade e nunca mais fui embora.

MarkBaynard: Seus pais colocaram sua foto em cartazes como desaparecida?

Abby_Donovan: A parte mais difícil de deixar a Carolina do Norte foi me separar deles, principalmente porque minha mãe tinha acabado de ir para a casa de repouso...

Abby_Donovan: Mas papai queria que eu fosse atrás dos meus sonhos. Ele me disse que era isso que minha mãe também iria querer... se ela não achasse que ainda estávamos em 1992 e que eu tinha 10 anos de idade.

MarkBaynard: Eu passava a maior parte do meu tempo em Nova York me certificando de que os alunos não fossem roubados e as garotas não engravidassem.

Abby_Donovan: Aposto que você era um daqueles professores superbacanas, como o Sr. Chips, não era?

MarkBaynard: Eu estava mais para o Sr. Kotter, ou aquele sujeito de *Glee* que parece uma mistura de Orlando Bloom e Justin Timberlake.

Abby_Donovan: Suas alunas deviam escrever "eu te amo" nas pálpebras e ouvir *Don't stand so close to me* nos seus walkmen.

MarkBaynard: Riscos ocupacionais de qualquer professor com uma sincera admiração por *O apanhador no campo de centeio* e cabelo que ele não tem dinheiro para cortar.

Abby_Donovan: Sua esposa não ligava para toda essa adoração feminina?

MarkBaynard: Acho que ela nem notava. Olha, vou ficar fora do ar por alguns dias. Mas prometo aparecer assim que der.

Abby_Donovan: Me traindo com outra seguidora, não é? Ela faz tweetsexo melhor do que eu?

MarkBaynard: Querida, ninguém faz melhor do que você. Principalmente quando você passa sua língua quente e úmida...

Abby_Donovan: Mark Baynard, nem ouse!

MarkBaynard: Oops... me desculpe... viajei... Muita sorte no almoço, boneca.

Abby_Donovan: Boa noite, Schuester.

MarkBaynard: Boa noite, Srta. Pillsbury.

Abby_Donovan: Boa noite, Puck.

MarkBaynard: Boa noite, Rachel.

Abby_Donovan: Boa noite, Kurt.

MarkBaynard: Boa noite, Quinn.

Abby_Donovan: Boa noite, Finn.

MarkBaynard: Boa noite, Sue Sylvester, sua fera desalmada, mas estranhamente sexy.

Abby_Donovan: Boa noite, Artie.

MarkBaynard: Boa noite, Tweetheart...

Capítulo 8

O Le Bernardin ficava na Rua 51, Oeste, no coração da região dos teatros. Suas mesas com toalhas de linho marfim e elegantes cadeiras de madeira Teca criavam o ambiente perfeito entre a elegância do mundo antigo e o design moderno. Pinturas a óleo decoravam as paredes claras. Graciosas ramagens de flores de cerejeira emergiam de vasos altos de vidro acomodados em divisórias com o topo de mármore, dando a muitas mesas uma cuidadosa ilusão de privacidade. Os acordes primorosos da *Pavana* de Ravel que brotavam dos alto-falantes invisíveis se fundiam ao delicado murmúrio de conversas e ao tilintar abafado da prataria contra a louça fina. O restaurante cheirava a couro genuíno do estofamento das cadeiras, peixe fresco nadando em um suculento mar de *beurre blanc* e dinheiro, tanto o velho quanto o novo.

Era um lugar onde as estrelas do teatro, do cinema e de Wall Street vinham comer com elegância quatro-estrelas. Um lugar onde carreiras eram lançadas, fortunas eram feitas e corações, conquistados.

O simples ato de atravessar as portas de vidro do restaurante e respirar aquele ar fez Abby sentir-se privilegiada. Uma recepcionista sorridente com um elegante coque loiro pegou seu nome e foi ver se o restante do grupo já havia chegado. Abby apertou o portfólio de couro contendo os cinco primeiros capítulos de seu livro e mais as anotações que ela havia rabiscado depois da última sessão de tweets com Mark e espiou discretamente à sua volta, tentando parecer que aquele ainda era seu lugar. Suas experiências culinárias recentes se limitavam a pedir comida chinesa ou sopa para casa. Parecia haver passado toda uma vida desde que ela tinha bebido e comido do bom e do melhor todas as noites em lugares da moda como o Craft, o Masa e o Momofuku. Ela conteve um sorriso ao imaginar o que Mark teria a dizer sobre esse nome.

Abby tinha ouvido os conselhos dele e se protegido em seu traje favorito para matar. Ela, na verdade, havia usado a saia justa e o casaco Ralph Lauren transpassado no programa da Oprah, no auge de seu sucesso. Como vinha passando mais horas nos braços consoladores de um pote de sorvete do que na academia ultimamente, ela precisou de uma cinta modeladora de supercompressão para entrar na saia. E tinha medo de precisar de um alicate hidráulico para sair de lá.

A recepcionista voltou para acompanhá-la à mesa. Sua agente e sua editora já estavam conversando animadamente. A editora era uma morena escultural, com gosto impecável para moda e literatura, rosto perfeito à custa de Botox e os lábios vermelho-cereja de uma Branca de Neve envelhecida. Sua agente era uma despretensiosa loira *mignon* que falava palavrões adoidado e lutava feito uma valquíria por seus clientes.

As duas mulheres pararam de falar de repente e se levantaram quando Abby se aproximou da mesa, dando sorrisos demasiado animados.

Abby sentiu seu próprio sorriso falhar. Quando os cumprimentos foram ditos e beijos no ar foram trocados, ela soube exatamente como Jesus deve ter se sentido quando Judas lhe pediu para passar a cesta de pão na Última Ceia. Ela quase podia sentir as notas de culpa e arrependimento por baixo da delicada fragrância de jasmim do perfume Jean Patou que sua editora sempre usava.

Enquanto o sommelier foi buscar a seleção de vinhos e Abby olhava cegamente para o cardápio, elas passaram às preliminares de sempre. Perguntaram sobre sua mãe. Ela perguntou sobre seus maridos e filhos. Ninguém perguntou sobre o portfólio de couro que ela discretamente havia enfiado debaixo da mesa. Ravel foi embora, abrindo caminho para as notas chorosas de um solo de violoncelo de Bach. Abby livrou-se rapidamente de um antepasto sofisticado de lulas salteadas recheadas de camarões adocicados e cogumelos shiitake sem nem sequer prová-lo.

Os pratos principais e o momento do ajuste de contas chegaram sob um lindo floreio de violinos atenciosamente fornecidos por Vivaldi. Enquanto sua agente ficou sentada em um silêncio torturante, saboreando uma porção lindamente arranjada de bagre assado na panela, sua editora colocou o garfo de lado e começou a falar. Suas palavras chegavam ao ouvido de Abby em *staccato*, pedaços de frases filtrados por um quase intolerável tom de gentileza.

"... economia difícil..."

"... diminuição do hábito de leitura..."

"... mercado editorial em baixa..."

"... cortes corporativos..."

"... demissões da empresa..."

"... sinto muito..."

"... queria que fosse tudo diferente..."

"... ainda acreditamos em você..."

"... confiança total que uma escritora com o seu talento vá se manter de pé..."

Enquanto sua editora continuava a dissecar a economia editorial e a esmagar o que restava de seus sonhos, Abby era forçada a balançar a cabeça em compreensão enquanto seu carpaccio quente de lagosta virava serragem em sua boca. Antes que o garçom pudesse voltar com o menu de sobremesas, o BlackBerry de sua editora e o iPhone de sua agente tocaram quase que simultaneamente.

– Droga – a editora disse, fazendo um esforço corajoso para dobrar o Botox por tempo suficiente para franzir o rosto para a mensagem de texto que deslizava na tela de seu BlackBerry. – Receio que terei que sair mais cedo. O departamento de arte está em crise com a capa da nova autobiografia da Lindsay Lohan. Eles não conseguem decidir se ela deve usar Versace ou um macacão laranja.

– Era do consultório do meu dentista. – A agente enfiou o iPhone em sua bolsa Coach enquanto levantava. – Esqueci completamente do tratamento de canal que tinha marcado para hoje de tarde!

Depois de mais uma rodada de beijos no ar, a agente de Abby murmurou em seu ouvido "Eu ligo para você hoje de noite", e elas partiram feito reféns fugindo da cena de um roubo a banco, deixando Abby sozinha na mesa.

Ela lentamente afastou seu prato, sem saber se deveria se lamentar pelo fato de sua carreira ter terminado ou porque havia desperdiçado um delicioso antepasto de cem dólares. Como o Le Bernardin era famoso pelo serviço francês impecável e também pelos encantos culinários, o garçom veio correndo no instante em que seus dedos deixaram o prato.

Se ele se compadecia por ela ter sido abandonada tão abruptamente por suas companheiras de almoço, escondia esse sentimento por trás de uma cortesia impecável.

– A senhora de preto se encarregou da conta – ele informou, referindo-se à sua editora. Sua *ex*-editora. – Ela disse que a senhora poderia pedir o que desejasse. Gostaria de ver o menu de sobremesas?

– Não, obrigada – Abby murmurou. Nem mesmo o lendário chocolate com semente de chicória e *cremeux* de chocolate amargo e sorvete de chicória a tentavam naquele momento. Seu estômago ainda revirava.

O garçom continuou a rondá-la, mas, como não dava nenhum sinal de levantar-se para ceder sua mesa ao próximo cliente, ele sorria sem jeito.

– Me chame se desejar algo mais.

Quando ele começou a se afastar, Abby viu-se mergulhando em uma bolha de pânico. Era a última vez que sua editora pagava a conta para ela. Não demoraria muito para que eles encontrassem outra garota-prodígio para adular, ou talvez já até tivessem feito isso.

– Um minuto, por favor! – Abby só percebeu que tinha falado alto quando vários clientes das mesas próximas interromperam suas conversas e se viraram para olhar para ela. – Acho que vou tomar um pouco de vinho.

– Pois não, madame. – O garçom sorriu com a perspectiva de voltar a ser útil. – Vou trazer a carta de vinhos.

– Não será necessário – Abby disse, detendo-o. Ela sorriu para ele, pois já escolhera a safra perfeita para celebrar uma ocasião tão especial. – Vou querer uma garrafa de Dom Pérignon. Para viagem.

* * *

– Eu achava que ainda tinha um ou dois anos antes de ser tão rebaixada a ponto de me embebedar no Central Park bebendo de um saco de papel – Abby disse com decisão, passando o saco, e a garrafa, para Margô.

– Pelo menos não é vinho barato – Margô respondeu, virando a garrafa de champanhe especial nos lábios para um longo gole. Ela foi educada o bastante para limpar a mancha de batom escarlate da garrafa antes de passá-la a Abby.

– Saúde – Abby resmungou antes de dar outro trago. Ela foi forçada a suprimir um espirro quando as bolhas frisantes entraram em seu nariz.

Ela e Margô estavam sentadas em um dos longos bancos de madeira que ladeavam a Poet's Walk. O sol de final de primavera penetrava pelos galhos dos enormes carvalhos que perfilavam a alameda, salpicando seus rostos. Sua amiga tinha respondido ao seu sinal de emergência sem demora, embora Abby não tivesse certeza se Margô havia desmarcado a pedicure semanal por causa da voz trêmula de Abby ou pela perspectiva de beber Dom Pérignon.

Margô arrebatou a garrafa da mão de Abby e ergueu-a num brinde, derramando champanhe em seu cardigã de seda lavanda.

– Um brinde a todos os miseráveis que já nos deixaram na mão! Que se danem! Que se danem todos, eu digo! Pelo menos aqueles com quem a gente ainda não transou.

Margô podia beber doses de tequila feito um ciclista californiano, mas sempre fora sensível a vinho. Mais alguns goles e ela estaria cantando Lady Gaga e fazendo demonstrações da coreografia da torcida de sua antiga escola para qualquer pessoa que parasse para vê-la.

Abby gentilmente arrancou a garrafa das mãos da amiga, colocando-a no chão ao lado de seus pés antes que Margô pudesse perceber.

– Essa é a pior parte. Eu nem posso ficar brava com eles por terem me abandonado. Eles não me decepcionaram. Eu é que os decepcionei.

Jogando um braço em volta do ombro de Abby, Margô deu-lhe um aperto de quebrar ossos.

– Você nunca os decepcionou.

– Você nunca me pagou um monte de dinheiro para escrever um livro que eu não terminei.

– Mas vai terminar, não vai? – Margô cutucou com a ponta do sapato de salto o portfólio de couro que descansava aos pés do banco do parque. – Você tem a prova bem aí.

– Tenho? – Abby perguntou. – Ou será que eu estava usando isso para me enganar e pensar que eu conseguiria? Para me fazer acreditar que um raio pode cair no mesmo lugar duas vezes?

Margô suspirou e descansou a cabeça no ombro de Abby, o que não era tarefa fácil, pois ela era pelo menos 15 centímetros mais alta.

– Não dou a mínima se você não for uma escritora de sucesso. Ainda continuará sendo minha melhor amiga.

Abby apoiou o rosto na cabeça de Margô.

– E eu não dou a mínima se você está bêbada feito um gambá. Você continuará sendo a minha melhor amiga.

Margô endireitou-se abruptamente, com os olhos arregalados enquanto ela sufocava um arroto cobrindo a boca com as mãos.

– De repente, estou me sentindo mal.

– Vamos – Abby disse, levantando-se e puxando a amiga para ficar de pé. – É melhor eu levar você para o meu apartamento antes que vomite nos meus sapatos Prada.

– Você tem tequila? – Margô perguntou, esperançosa, quando Abby a largou cambaleando na calçada enquanto pegava seu portfólio e o colocava a tiracolo com indiferença.

– Não. Mas tenho uma coisa melhor ainda. Café e sorvete.

Elas não tinham dado três passos quando um homem de barba comprida, vestindo uma jaqueta do exército desbotada, saiu tropeçando de trás de uma árvore para aproveitar o que ainda restava na garrafa de Dom Pérignon.

Capítulo 9

Segunda-feira, 30 de maio – 21h24

MarkBaynard: Como está vestida?

Abby_Donovan: Calça de agasalho manchada de café e o sutiã do biquíni vermelho de Phoebe Cate em *Picardias estudantis*.

MarkBaynard: Com licença, acho que preciso de um momento de privacidade no banheiro.

Abby_Donovan: E você, como está vestido?

MarkBaynard: O chapéu de Burt Reynolds em *Agarre-me se puderes* e o casaco e gravata pretos de John Cusack em *Matador em conflito*.

Abby_Donovan: Bom. Talvez você pudesse usar um garfo para me matar como ele fez com o presidente do Paraguai.

MarkBaynard: Seria um mau momento para perguntar como foi o almoço?

Abby_Donovan: Vamos colocar da seguinte maneira: como você, estou agora num momento sabático. Só que, no meu ramo, chamamos isso de "fui despedida."

MarkBaynard: Sua editora a DESPEDIU? Eles podem fazer isso?

Abby_Donovan: Podem, se você fura demais o prazo e eles ameaçam declarar que você quebrou o contrato.

MarkBaynard: Então, talvez você devesse começar a contar a partir do antepasto.

Abby_Donovan: Tudo começou com o murmúrio de conversas discretas seguido pelo som do meu coração se despedaçando.

MarkBaynard: Quando você percebeu que havia algo errado?

Abby_Donovan: No momento em que vi minha agente e minha editora. Seus beijinhos no ar foram tragicamente amáveis.

MarkBaynard: A língua entrou na parada? Porque isso nunca é um bom sinal em beijinhos no ar.

Abby_Donovan: Sem língua. Embora eu tenha tido a sensação de que estava prestes a me dar mal.

MarkBaynard: Pelo menos eles te pagaram o almoço, certo?

Abby_Donovan: Foi igual a essas separações que a gente vê na TV, quando o cara leva a garota para um restaurante chique para que ela não possa fazer uma cena no momento em que ele disser que vai abandoná-la.

MarkBaynard: Você fez cena?

Abby_Donovan: É claro que não. Me comportei como adulta o tempo todo.

MarkBaynard: E pediu a coisa mais cara do menu, certo?

Abby_Donovan: Me contive ao máximo. Bom, exceto pelo Dom Pérignon.

MarkBaynard: Ah, o equivalente a esvaziar o frigobar em sua última viagem de negócios depois que sua empresa o força a se aposentar prematuramente!

Abby_Donovan: Eu teria roubado os guardanapos e pedido algum filme pornô, mas eles não tinham *A biscate do soldado Ryan* nem *Orgia mecânica* no menu.

MarkBaynard: Por que te dispensaram?

Abby_Donovan: Economia difícil... blá-blá-blá... vendas caindo em toda a indústria... blá-blá-blá...

MarkBaynard: Odeio quando eles dizem a verdade.

Abby_Donovan: A coitada da minha editora estava lutando pelo emprego DELA. Meu pagamento adiantado foi bem substancial, então acho que ela vai conseguir guardar alguma coisa.

MarkBaynard: Eles querem o dinheiro de volta?

Abby_Donovan: O que não seria um problema se eu não tivesse gastado tudo em luxos vergonhosos como... comida... aparelhos elétricos... ração para os gatos... frappuccinos.

MarkBaynard: O que você vai fazer?

Abby_Donovan: Estou pensando em me suicidar com papel cortado.

MarkBaynard: Fique longe dos menus de comida chinesa delivery. Como a sua agente reagiu?

Abby_Donovan: Ela me ligou depois e tentou me acalmar dizendo que ia vender o livro para outra editora. O que seria uma boa estratégia... se houvesse um livro.

MarkBaynard: Pelo menos ELA não te abandonou.

Abby_Donovan: Eu não a culparia se tivesse. Eu sabia que era só uma questão de tempo antes que o mundo todo descobrisse que eu era uma fraude sem talento.

MarkBaynard: Uma fraude cujo primeiro romance deu a eles um monte de dinheiro e quase ganhou o prêmio Pulitzer de literatura?

Abby_Donovan: "Quase" é a palavra mais importante.

MarkBaynard: Abby, o problema não é que você não consiga escrever. É que você NÃO está escrevendo.

Abby_Donovan: Até tu, Brutus?

MarkBaynard: Se a sua agente tivesse um manuscrito completo nas mãozinhas dela, quais as chances de ela vendê-lo?

Abby_Donovan: Muito boas, eu acho. Nova York normalmente demora cinco livros para descobrir que você é um fracassado inútil.

MarkBaynard: Se ela vendesse, você poderia pagar o seu adiantamento para a primeira editora e ainda sobraria algum dinheiro para comprar um pouco de ração, certo?

Abby_Donovan: E talvez um ou dois frappuccinos.

MarkBaynard: Então tire essas pedras dos bolsos, ligue para a sua agente e diga que terá um livro pronto no final do verão.

Abby_Donovan: Ninguém nunca te disse que as mulheres só querem que os homens as OUÇAM, não que tentem resolver os problemas para elas?

MarkBaynard: Minha esposa tentou, mas eu estava ocupado demais tentando resolver os problemas dela e não ouvi.

Abby_Donovan: Nem sei se consigo terminar um livro no fim do ano que vem, que dirá no fim deste ano.

MarkBaynard: Você nunca vai descobrir se não sentar a bunda na cadeira e tentar.

Abby_Donovan: Eu achei que você fosse um palestrante DESmotivacional. Está despedido. Sniff... sniff...

MarkBaynard: Por Deus, você não está chorando, não é? Me sinto tão inútil quando as mulheres choram. O que é que eu faço?

Abby_Donovan: Você pode me dar um tapinha nas costas e dizer "pobrezinha... ai, pobrezinha" em um tom bem calmo. Ou então me preparar um chá.

MarkBaynard: Com quem eu me pareço? Julie Andrews? Deixa disso. Eu vou até a geladeira pegar uma cerveja bem gelada.

Abby_Donovan: Enquanto está lá, pode me trazer o pote de sorvete? E uma colher?

MarkBaynard: Beba sua cerveja e me ouça. Quando escreveu o seu primeiro livro, você sonhou que ele seria recebido pelo mundo de braços abertos?

Abby_Donovan: Eu nem o escrevi para o mundo. Eu o escrevi para mim.

MarkBaynard: Então é isso que você tem que fazer novamente. Escreva outro livro para você mesma.

Abby_Donovan: Mas eu sei, lá no fundo do meu coração, que nunca vou escrever nada tão bom quanto aquele livro.

MarkBaynard: Então escreva qualquer porcaria. Não importa o que você escreva, desde que pare de se culpar por não escrever e comece a escrever.

Abby_Donovan: Eu não te amo mais. Nem gostar eu gosto. E não vou me casar com você, mesmo que você saiba o nome do cachorro de Veronica Mars.

MarkBaynard: Isso quer dizer que não faremos mais tweetsexo?

Abby_Donovan: Estarei muito cansada para isso. Estarei muito ocupada escrevendo esse livro idiota. Então, pode passar sua própria língua sobre...

MarkBaynard: Essa é a minha menina. Agora ligue para a sua agente. Diga a ela que você fez um avanço.

Abby_Donovan: Um avanço ou uma colisão?

MarkBaynard: Qualquer coisa que a leve ao Capítulo 6.

Abby_Donovan: Tenho medo, Mark. E se eu não conseguir?

MarkBaynard: Todos nós temos medo, Abby.

Abby_Donovan: Ah, sim. Do que você tem medo?

MarkBaynard: Das mesmas coisas que você. Escolhas erradas. Não estar presente para as pessoas que contam com você.

Abby_Donovan: Só isso? Nenhum outro chavão? Nada de palavras motivacionais? Onde está o Yoda quando preciso dele?

MarkBaynard: Voltou para o pântano em Dagobah para praticar seu kung fu.

Abby_Donovan: Seu fantoche travesso.

MarkBaynard: A força pode não estar com você, Abby. Mas eu estarei.

Abby_Donovan: Boa noite, House.

MarkBaynard: Boa noite, Cuddy.

Abby_Donovan: Boa noite, Wilson (só que o Wilson é bem mais legal que você).

MarkBaynard: Boa noite, Cameron.

Abby_Donovan: Boa noite, Foreman.

MarkBaynard: Boa noite, 13 (que, de maneira alguma, é mais gostosa que você).

Abby_Donovan: Boa noite, Chase.

MarkBaynard: Boa noite, Tweetheart...

* * *

Terça-feira, 7 de junho – 13h56

MarkBaynard: Como está vestida?

Abby_Donovan: Com a jaqueta cor-de-rosa da Rizzo em *Grease* sobre o macacão de couro preto de Kate Beckinsale em *Underworld.*

MarkBaynard: Miaaaaauuu!

Abby_Donovan: Por que os homens gostam tanto dos filmes *Underworld*?

MarkBaynard: Não sei, mas tenho certeza de que não tem absolutamente nada a ver com a Kate Beckinsale naquele macacão.

Abby_Donovan: E você, o que está usando?

MarkBaynard: O casaco de tweed de John Wayne em *Depois do vendaval* e o sorriso do piloto automático de *Apertem os cintos, o piloto sumiu.*

Abby_Donovan: Eu estava tão obcecada comigo que me esqueci de perguntar em que lugar do mundo Mark Baynard estava na última vez em que twittamos.

MarkBaynard: VISTA DO MEU iPHONE: http://twitphoto.com/MB7sth

Abby_Donovan: Ah!... Não me diga que é...

MarkBaynard: Estou sentado no alto do Castelo de Blarney, na cidade de Cork, tentando encontrar palavras para descrever um verde que é indescritível.

Abby_Donovan: Você nem precisa beijar a pedra de Blarney, pois já possui o dom da tagarelice. Ou pelo menos o dom do tweet.

MarkBaynard: E como está indo a escrita hoje?

Abby_Donovan: VISTA DO MEU LAPTOP: http://tweetpic.com/2825190614

MarkBaynard: Estou vendo o que penso que estou vendo? São as duas palavras mais lindas da língua inglesa? CAPÍTULO SEIS?

Abby_Donovan: Não, a palavra mais linda seria FIM. Mas já é um começo. Principalmente porque já escrevi 15 páginas para acompanhá-las.

MarkBaynard: Cheias da sua costumeira inteligência efervescente e brilhantismo sartorial, suponho.

Abby_Donovan: Ah, não. Eu segui o seu conselho. É um monte de porcaria.

MarkBaynard: Eu nunca tive tanto orgulho de ser o seu "muso".

Abby_Donovan: É isso que você é? Eu achei que fosse minha Nêmesis.

MarkBaynard: Salieri para o seu Mozart!

Abby_Donovan: Moriarty para o meu Sherlock Holmes!

MarkBaynard: O Príncipe John para aqueles dois fedelhos na torre!

Abby_Donovan: O xerife de Nottingham para o meu Robin Hood!

MarkBaynard: Blofeld para o seu James Bond!

Abby_Donovan: O Dr. Evil para o meu Austin Powers!

MarkBaynard: Donald Trump para a sua Joan Rivers!

Abby_Donovan: Kanye West para a minha Taylor Swift!

MarkBaynard: O Coringa para o seu Batman! Esteve acorrentada ao computador desde a última vez em que twittamos? Porque estou apreciando essa imagem muito mais do que deveria.

Abby_Donovan: Por mais estranho que pareça, escrever novamente me fez QUERER sair mais. Ora, se eu não começar a viver a vida, como posso escrever sobre ela?

MarkBaynard: Dobramos nossas idas ao Starbucks, é?

Abby_Donovan: Para sua informação, fui voluntária em um evento beneficente em prol do diabetes juvenil no parque quinta-feira passada.

MarkBaynard: Isso incluiu alguma fantasia do Coelhinho Biff?

Abby_Donovan: Pior. Fui designada para trabalhar no pula-pula gigante.

MarkBaynard: Aquele grande castelo inflável que suga crianças?

Abby_Donovan: Arrepio! É um exercício mais brutal em "A sobrevivência dos mais aptos" do que jogar queimada com a 8ª série.

MarkBaynard: Se uma criança de 2 anos não consegue sobreviver a um aluno da 5ª série pulando sem parar em cima do seu baço, não vai ter nenhuma utilidade para a sociedade, afinal, certo?

Abby_Donovan: Exatamente. Pelo menos desta vez eles fizeram xixi uns nos outros, não em mim.

MarkBaynard: Eu sempre considero aquele dia um bom dia.

Abby_Donovan: O seu Dylan teria sobrevivido?

MarkBaynard: Eu já o ensinei a morder crianças maiores no tornozelo. Depois ele as abate com um golpe de caratê na virilha.

Abby_Donovan: Me fale sobre ele.

MarkBaynard: Bom, ele tem 3 anos e meio e já se parece com o Peter Boyle em *Everybody loves Raymond*.

Abby_Donovan: Ele é tão precoce quanto o pai?

MarkBaynard: Mais ainda. Da última vez que o vi ele estava relaxado numa poltrona reclinável lendo a Harvard Lampoon e fumando Camel sem filtro sem parar.

Abby_Donovan: Meu Deus, ele É mesmo seu filho, não é?

MarkBaynard: Seus hobbies são longas caminhadas na praia, comer todos os marshmallows que vê pela frente...

MarkBaynard: ... e fazer ruídos de caminhão que incluem muito cuspe.

Abby_Donovan: Ele parece da pá virada.

MarkBaynard: Ele é, mas ainda não consigo espancá-lo.

Abby_Donovan: Então como você o disciplina? Esconde a coleção de *Penthouse* dele?

MarkBaynard: Quando ele apronta, eu só o sento no alto da geladeira. Quando ele desce, eu já esqueci por que fiquei bravo.

Abby_Donovan: Ele se parece com você?

MarkBaynard: Ele não é uma miniatura minha, mas herdou meu cabelo incuravelmente encaracolado. Pobre garoto.

Abby_Donovan: Sente falta dele, não sente?

MarkBaynard: Cada vez que eu respiro.

Abby_Donovan: Há quanto tempo você está fora dos Estados Unidos?

MarkBaynard: Um pouco mais do que eu planejei.

Abby_Donovan: Quando vai voltar?

MarkBaynard: Meu retorno ainda está em aberto neste momento.

Abby_Donovan: Você não precisaria voltar para o semestre de outono?

MarkBaynard: Só se eu quiser continuar com o meu emprego.

Abby_Donovan: Eu achei que ser efetivado significasse nunca ter que pedir perdão. E nunca ficar desempregado.

MarkBaynard: Chama-se licença justificada por um motivo. Se durar mais de um ano, eles mudam o nome para "desligamento"!

MarkBaynard: Bom, já chega de preliminares por hoje. Eu estava pensando se você gostaria de sair comigo novamente.

Abby_Donovan: Mesmo não tendo "cedido" na primeira vez?

MarkBaynard: Sua trama diabólica para me fazer convidá-la para sair de novo obviamente deu certo. Com sorte, talvez eu possa chegar ao meio de campo desta vez.

Abby_Donovan: Aceito. E então, aonde quer ir? O Def Leprechaun está tocando no pub local?

MarkBaynard: Eu pensei em ir me encontrar com você desta vez. E você escolhe.

Abby_Donovan: Muito bem, você pode me pegar na frente do Plaza, no domingo, às 10 da manhã?

MarkBaynard: Aonde vamos? Missa?

Abby_Donovan: Mais ou menos.

MarkBaynard: Eu já te disse que tenho medo de freiras? Mesmo das danadinhas?

Abby_Donovan: Puxa vida! Bom, então é melhor eu devolver o hábito, a meia arrastão e a régua de madeira para a loja de fantasias.

MarkBaynard: Você é uma provocadora despudorada, sabia? É uma das coisas de que eu mais gosto em você.

Abby_Donovan: E você é um paquerador imoral.

MarkBaynard: É aí que você se engana. Estou corando enquanto falamos.

Abby_Donovan: Boa noite, Capitão Peacock.

MarkBaynard: Boa noite, Sra. Slocombe.

Abby_Donovan: Puxa vida! Eu tinha certeza de que ia pegar você com essa! Nunca vou conseguir confundi-lo, vou?

MarkBaynard: O que eu posso dizer? Eu apoio a PBS. E o *Dr. Who* me deixou viciado na BBC America.

Abby_Donovan: Boa noite, Sr. Humphries.
MarkBaynard: Boa noite, Srta. Brahms.
Abby_Donovan: Boa noite, Sr. Grainger.
MarkBaynard: Boa noite, Srta. Belfridge.
Abby_Donovan: Boa noite, jovem Mr. Grace.
MarkBaynard: Boa noite, Tweetheart...

Capítulo 10

Domingo, 12 de junho – 10h02

MarkBaynard: Como está vestida?

Abby_Donovan: Calça Levi's desbotada, uma camisa masculina bem grande e tênis vermelhos com meu dedão direito saindo por um buraco.

MarkBaynard: É a coisa mais sexy que já ouvi. É o que você está usando mesmo, não é?

Abby_Donovan: Bom, esqueci do bracelete Livestrong do Lance Armstrong, e do elástico de cabelo de veludo que saiu de moda em 1999, mas sim. E você?

MarkBaynard: Calça de algodão amarrotada e uma camiseta que peguei no pub ontem à noite. Acho que foi ontem à noite. Tudo é muito confuso.

Abby_Donovan: Entornando todas as Guinness, hein, camarada?

MarkBaynard: Isso depende se você considera arremesso de duende um esporte legítimo. OU arremesso de bolachas.

Abby_Donovan: Ouvi dizer que estavam pensando em incluir essas modalidades esportivas nas Olimpíadas.

MarkBaynard: Não seriam tão excitantes quanto o curling.

Abby_Donovan: Não podíamos ter escolhido um dia mais perfeito para nosso passeio. O sol está brilhando. O céu está de um azul deslumbrante. Os pássaros cantam.

MarkBaynard: Se importa de pedir que eles abaixem o volume? Há uma possibilidade de a minha cabeça explodir como a daquele sujeito em *Scanners*. E então, para onde vamos?

Abby_Donovan: http://tweetpic.com/2825190615

MarkBaynard: É a Poet's Walk no parque, não é? Você tinha razão. Parece mesmo uma catedral.

Abby_Donovan: Eu pego meu café e venho aqui todas as manhãs de domingo. Na neve. Na chuva. E num dia de verão perfeito como hoje.

MarkBaynard: Me diga o que vê neste exato momento.

Abby_Donovan: Tem um senhor idoso passeando com seu cão borzoi e uma radiante noiva asiática vestindo Vera Wang e posando para o seu álbum de casamento...

Abby_Donovan: Um casal está dividindo um sorvete e um menininho está puxando sua mãe na direção do Bethesda Terrace...

Abby_Donovan: Um homem com um carrinho prateado vende pretzels quentinhos e um estudante de arte beberica um café com leite enquanto faz um esboço de um dos antigos carvalhos...

Abby_Donovan: É isso o que eu mais amo no parque nas manhãs de domingo. Até as pessoas sozinhas parecem felizes.

MarkBaynard: Você está feliz?

Abby_Donovan: Acho que na primeira vez que nos encontramos eu não estava. Mas agora estou.

MarkBaynard: Se importa se eu pegar na sua mão enquanto caminhamos?

Abby_Donovan: Que cavalheiro!

MarkBaynard: É que não dá para caminhar e ficar se agarrando ao mesmo tempo.

Abby_Donovan: E tão prático!

MarkBaynard: Aposto que você diz isso para todos os homens que arrasta para o parque nas manhãs de domingo.

Abby_Donovan: Para sua informação, eu nunca trouxe ninguém aqui antes. Bom, exceto a minha amiga Margô.

MarkBaynard: Sinto-me honrado.

Abby_Donovan: O quê? Sem gozação? Sem comentários sarcásticos?

MarkBaynard: Tiradas espirituosas não sairão mais da minha boca. Seus encantos me desarmaram. A ironia me abandonou.

Abby_Donovan: Está sendo irônico?

MarkBaynard: Talvez eu simplesmente tenha sido enfeitiçado por este bosque encantado.

Abby_Donovan: Eu gosto de pensar nele como um dos lugares que eu guardo para mim mesma. Desse modo, se eu me perder, saberei para onde ir e me encontrar.

MarkBaynard: E se você não conseguir lembrar onde estava quando se perdeu? E se for tarde demais para voltar e olhar?

Abby_Donovan: Nunca é tarde demais. Como disse Cícero: "Enquanto há vida, há esperança."

MarkBaynard: Eu achei que tinha sido John Lennon. Mas, de qualquer maneira, os dois estão mortos, não estão?

Abby_Donovan: Talvez os dois estivessem errados. Talvez a esperança nunca morra, nem mesmo quando nós morremos.

MarkBaynard: Essa sim é uma filosofia que eu poderia seguir.

Abby_Donovan: Então, se não vamos nos agarrar, o que vamos fazer em nosso segundo tweetencontro?

MarkBaynard: Acredito que hoje seja o dia em que começamos a explorar o que buscamos em um relacionamento. Enquanto fingimos que não estamos buscando, é claro.

Abby_Donovan: Será que não seria menos complicado a gente ficar se agarrando?

MarkBaynard: Provavelmente. Então, no interesse da sutileza... o que exatamente VOCÊ procura em um homem, Abigail Donovan?

Abby_Donovan: Hum... bom, ele pode ser um fracasso completo, desde que esteja disposto a entrar correndo num prédio em chamas para resgatar um cesto de gatinhos.

MarkBaynard: Estou sentindo cheiro de fumaça? Espere bem aí... eu já volto!

Abby_Donovan: Mark?

Abby_Donovan: Hum... Mark? Onde você foi?

MarkBaynard: Voltei! Tome, segure esta cesta para mim enquanto eu tiro as cinzas do meu cabelo. Só ignore qualquer miau suplicante que você ouvir.

Abby_Donovan: Hum... Mark... não são gatinhos. Acho que devem ser furões. Furões raivosos.

MarkBaynard: Espere... eu vou entregá-los para aquele cara ali perto da árvore usando uma camiseta do PETAFR.

Abby_Donovan: PETAFR?

MarkBaynard: Pessoas para o Tratamento Ético de Furões Raivosos. Pronto... estávamos falando do quê? Ai! Pobre coitado! Vai ficar marcado.

Abby_Donovan: Creio que eu estava prestes a perguntar (com igual sutileza) o que você procura em uma mulher.

MarkBaynard: Alguém para rir comigo. Ou de mim. Sério... não sou exigente.

Abby_Donovan: Então você não está à procura da mítica alma gêmea?

MarkBaynard: Eu sobrevivi a um divórcio bem amargo. Me contento com alguém que tenha alma.

Abby_Donovan: Não quer alguém que o complete como o Mini--Me completava o Dr. Evil? Alguém que tenha o mesmo gosto para música e para comida e que termine

MarkBaynard: ... minhas sentenças? A última coisa de que preciso é alguém roubando os finais de todas as minhas piadas.

Abby_Donovan: Você acreditava que sua esposa fosse sua alma gêmea quando casou com ela?

MarkBaynard: Eu tinha 22 anos. Eu acreditava no arco-íris, em fadas e no Meu Querido Pônei. Eu acreditava que Ricky Martin era heterossexual.

Abby_Donovan: Então o que realmente aconteceu entre vocês dois? Dez anos é bastante tempo para ficar casado. Você perdeu o amor por ela?

MarkBaynard: Não, deixamos de gostar um do outro. O que, a longo prazo, é muito mais devastador.

Abby_Donovan: Conheço casais que são casados há 40 anos e mal conseguem ficar juntos na mesma sala.

MarkBaynard: É exatamente por isso que ainda estão casados. O ódio é uma forma de paixão. É a apatia que mata um relacionamento.

Abby_Donovan: Acha que vai se casar novamente?

MarkBaynard: Não.

Abby_Donovan: Uau... deve ter doído mesmo quando você descobriu que o Meu Querido Pônei não era real, não foi?

MarkBaynard: Foi o lance do Ricky Martin que me deixou sem chão. Filme de divórcio favorito?

Abby_Donovan: *Encontros e desencontros*, com Burt Reynolds e Jill Clayburgh.

MarkBaynard: *A guerra dos Roses*, com Michael Douglas e Kathleen Turner. Sim, eu sei exatamente o que isso quer dizer sobre mim, e não é coisa boa.

Abby_Donovan: Adoro aqueles filmes antigos em que as mulheres descobrem que podem ser felizes sem um homem: *Esta é a minha chance*, *My brilliant career*, *Uma mulher descasada*.

MarkBaynard: Sabia que nada fará um pobre idiota pedir uma mulher em casamento mais rápido do que dizer a ele que você acredita que pode ser feliz sem um homem?

Abby_Donovan: Os homens adoram a excitação da caça, não adoram?

MarkBaynard: Qualquer coisa para pegar mais um peixe na rede.

Abby_Donovan: O que você mais gostava no casamento?

MarkBaynard: Ter alguém para abraçar quando eu acordava no meio da noite.

Abby_Donovan: Ainda ontem eu acordei de noite com a deliciosa sensação de alguém lambendo minha orelha.

MarkBaynard: Ah, é? Pode ir contando. Acho que estou com ciúmes.

Abby_Donovan: Eu estremeci e me senti toda romântica... até perceber que era Willow Tum-Tum.

MarkBaynard: Foi direto para o ouvido, é? Ela devia estar se preparando para sugar seu cérebro.

Abby_Donovan: Sim, eu podia ouvir Buffy, a caça-ratos, no canto entoando: "Miolos... MIOLOS!!!"

MarkBaynard: Estou deduzindo que qualquer homem que queira lamber sua orelha no meio da noite tenha que gostar de gatos.

Abby_Donovan: Eu gosto de cães, mas amo gatos. Pode ser injusto, mas sempre presumo que as pessoas que têm gatos sejam pessoas boas.

MarkBaynard: Tem gente que gosta de gatos... para comer.

Abby_Donovan: Eca!

MarkBaynard: Me desculpe. É que passei um verão na Malásia uma vez.

Abby_Donovan: Escravo sexual?

MarkBaynard: Eles não me quiseram, então eu tive que me conformar em lecionar inglês como voluntário.

Abby_Donovan: Pensei que não acreditasse em fazer nada de graça.

MarkBaynard: A habilidade de conjugar verbos não está tendo tanta demanda quanto a habilidade de misturá-los com substantivos e adjetivos para criar uma narrativa.

Abby_Donovan: Falou como um verdadeiro professor de literatura inglesa.

MarkBaynard: E não como um chato petulante com aspirações literárias ainda não alcançadas?

Abby_Donovan: Você nunca me disse sobre o que gostaria de escrever.

MarkBaynard: Assim que eu descobrir, prometo que você vai ser a primeira a saber.

Abby_Donovan: Vou? Você pode estar twittando com alguma outra escritora semiagorafóbica até lá.

MarkBaynard: Ou você pode ter decidido que merece mais do que uma rapidinha no banco de trás do táxi onde trocamos números falsos de celular depois.

Abby_Donovan: Eu podia dar a você o meu verdadeiro número de celular.

Abby_Donovan: Mark?

Abby_Donovan: Mark? Eu disse algo errado?

Abby_Donovan: Cruzes, eu só ofereci o número do meu celular, não o número de uma organizadora de casamentos.

MarkBaynard: Você esqueceu que eu posso ser um *serial killer*?

Abby_Donovan: Ou o Ashton Kutcher. Eu sou muito mais jovem que a Demi, sabe, mas não tão conservada.

MarkBaynard: Me desculpe. Não quis ferir seus sentimentos.

Abby_Donovan: Você podia pelo menos ter anotado o número e fingido que ia ligar. É isso que qualquer babaca que se respeita teria feito.

MarkBaynard: E se eu não respeitar a mim mesmo?

Abby_Donovan: A menos que esteja de verdade no Programa de Proteção à Testemunha, você pode estar levando essa brincadeira de Homem Misterioso Internacional um pouco longe demais.

MarkBaynard: Eu garanto que não há nada no mundo inteiro que eu goste mais do que ouvir sua voz...

MarkBaynard: Eu só não quero ouvi-la num celular. Prefiro esperar até que possamos nos encontrar cara a cara.

Abby_Donovan: O que está sugerindo? Que façamos um pacto de nos encontrar daqui a um ano no alto do Empire State Building?

MarkBaynard: Tenho medo de altura. Que tal no porão da Macy's?

Abby_Donovan: Ah, ótimo. Pode ter alguma liquidação!

MarkBaynard: Achei que você não gostasse de fazer compras. Nem de roupas. Mas eu gosto de liquidações.

MarkBaynard: Então está combinado. (Eu gentilmente pego seu rosto em minhas mãos e a beijo como da primeira vez que Sawyer beijou a Kate em *Lost*.)

MarkBaynard: Abby? ... Ainda está aí?

Abby_Donovan: Acho que você me deixou sem tweets.

MarkBaynard: Quem poderia imaginar que isso seria possível? Boa noite, Sra. Huxtable.

Abby_Donovan: Boa noite, Theo.

MarkBaynard: Boa noite, Rudy.

Abby_Donovan: Boa noite, Dr. Huxtable.

MarkBaynard: Boa noite, Vanessa.

Abby_Donovan: Boa noite, Elvin.

MarkBaynard: Boa noite, Tweetheart...

Capítulo 11

Por mais que o tempo passe, sempre haverá dias em que uma garota vai precisar da mãe. E Abby era sábia o suficiente para saber que o domingo depois de seu segundo "encontro" com Mark era um desses dias. Como eles não podiam conversar deleitando-se com o chocolate quente da Serendipity's, nem ter um surto consumista na Bergdorf's, Abby fez a melhor coisa. Ela pegou o metrô até o Bronx e venceu a pé os quase três quilômetros sob o escaldante sol de verão até o lar de idosos onde morava sua mãe.

Qualquer ilusão que Abby e seu pai tivessem alimentado sobre cuidar de sua mãe em casa havia morrido na manhã em que ele entrou na cozinha e encontrou sua mulher prestes a preparar um liquidificador cheio de daiquiri. Depois da morte dele, Abby transferiu sua mãe da casa de repouso na Carolina do Norte para a Sunshine Manor – um lugar cinco-estrelas especializado no tratamento de pacientes com Alzheimer e outras formas de demência precoce.

Ela digitou um código de quatro números no teclado ao lado da porta de vidro do monótono prédio de tijolos aparentes. A porta se abriu, banhando Abby com uma lufada de ar condicionado velho. O corredor parecia se estender até o infinito, forçando-a a passar pelas fileiras de cadeiras de rodas estacionadas e pelos residentes que vagavam por ali antes de chegar ao quarto de sua mãe. A maioria dos residentes já não recebia visitas há muito tempo, de modo que cada pessoa que chegava era recebida com uma mistura de esperança e resignação que lhe cortava o coração.

– Você é minha filha? – uma mulher perguntou queixosamente, a cabeça branca balançando para cima e para baixo feito um brinquedo de criança perdido no mar.

Abby parou só pelo tempo de apertar a mão da mulher.

– Não, Elsie. Não se lembra? Sou a filha da Brendan.

– Venha aqui me ajudar com a cadeira de rodas, minha jovem – exigiu uma senhora negra de cabelo curto no estilo afro e que tinha somente uma perna. – Está emperrada.

Abby acocorou-se para arrumar o freio da cadeira e seguiu em frente.

Um homenzinho encolhido veio até ela com o andar vacilante.

– Poderia me levar ao banheiro, por favor? – Um olhar discreto para as suas calças mostrava que seu pedido havia chegado tarde demais.

– Não tenho permissão para fazer isso, Sr. Dugan, mas vou chamar uma das enfermeiras para ajudá-lo quando passar pela recepção.

Nos últimos dois anos em que vinha visitando a casa, Abby tinha descoberto que era preciso muito pouco para deixar os residentes felizes – um sorriso, um abraço, uma palavra de estímulo. Algum reconhecimento de sua existência que fosse além de ajudá-los a vestir seus pijamas ou a engolir a medicação. A equipe de enfermagem era extremamente atenciosa, mas desesperadamente ocupada devido ao reduzido quadro de funcionários e ao inevitável desgaste que acompanhava a tarefa de cuidar daqueles que não podem mais cuidar de si mesmos.

Depois de pedir que um assistente resgatasse o Sr. Dugan, Abby entrou no quarto em frente ao balcão de enfermagem. Sua mãe dormia a sono solto em sua poltrona reclinável, com o queixo apoiado no ombro. Na tela da televisão, afixada na parede oposta, uma Lucy Ricardo muda arrastava um algemado Ricky por um clube noturno decorado com falsas palmeiras.

O espaçoso quarto que sua mãe ocupava era o mais acolhedor que Abby podia proporcionar. Ela tinha alegrado a monótona parede cor de palha e a mobília de madeira escura acrescentando toques extravagantes, como o grande travesseiro do Shrek aninhado na cama de hospital e o cartaz de Johnny Depp com o olhar malicioso do capitão Jack Sparrow pendurado sobre a cômoda. As estantes estavam cheias de DVDs de desenhos animados da Disney e todas as comédias românticas de que haviam participado Julia Roberts e Sandra Bullock.

Sua mãe sempre tivera uma tendência a perder o juízo, mas, com a ajuda do pai, Abby geralmente conseguia recuperá-lo. Tudo ficou irremediavelmente perdido quando ela teve uma reação séria aos remédios que resultou em demência precoce, tornando impossível tratar seu transtorno bipolar com o costumeiro coquetel de lítio e alguma outra droga psicotrópica que estivesse na moda. Como seu primeiro grande episódio maníaco havia ocorrido logo depois que Abby nascera, quando seus hormônios pós-parto estavam a toda, Abby tinha a genuína – embora dúbia – sensação de que seu primeiro ato na vida tinha sido levar outro ser humano à loucura.

Abby inclinou-se para dar um beijo no rosto macio de sua mãe. Por mais prestativa que fosse a equipe de funcionários, Abby ainda ficava chocada quando sentia que sua mãe cheirava ligeiramente a urina e não ao talco Chanel Nº 5 que ela lhe dava todo Natal.

– Oi, docinho – Abby disse baixinho, tentando não assustá-la. – Como vai minha menina hoje?

Nos últimos anos, seus papéis pareciam ter se invertido, fazendo Abby sentir-se menos filha e mais mãe de uma criancinha normalmente encantadora, mas ocasionalmente intratável.

Sua mãe levantou a cabeça e piscou para Abby.

– Olá, querida – ela disse, oferecendo a Abby um sorriso sonolento.

Abby se endireitou, dando um suspiro de alívio. Os olhos verde-escuros de sua mãe estavam um pouco vidrados, mas não havia sinais de desconfiança ou hostilidade neles. Ela parecia estar em um de seus dias "calmos".

Fazendo um floreio, Abby tirou da bolsa um saquinho.

– Está pronta para a maquiagem?

Embora a sua consistisse somente em um pouquinho de blush apressadamente aplicado em cada bochecha e um leve toque de brilho nos lábios, sua mãe sempre fora dessas mulheres que se recusam a sair de casa sem passar um delineador. A esta altura, não havia muito que Abby pudesse fazer para ajudá-la, mas ela podia, pelo menos, garantir que a mãe se reconhecesse ao olhar no espelho do banheiro.

Sua mãe ficou parada feito uma boneca de louça enquanto Abby espalhava hidratante em seu rosto, seguido por uma camada de base.

Aos 59 anos de idade, sua mãe era uma das residentes mais jovens da casa. Passar os últimos quatro anos longe do sol havia deixado seu rosto sem rugas. Seu cabelo castanho só tinha alguns fios brancos e estava amarrado num rabo de cavalo que a fazia parecer uma Gidget de meia-idade ligeiramente acima do peso. O pai de Abby costumava brincar dizendo que sua mãe era como Dorian Gray. Só que, em vez de ter um retrato que envelhecesse rápido guardado no sótão, ela tinha a ele.

Agora que seu pai havia partido, Abby supunha que ela tivesse que ser o retrato de sua mãe. Ela teria que contar o tempo passando na vida de sua mãe pelas rugas e marcas de preocupação em sua própria pele.

Como se lesse os pensamentos de Abby, sua mãe subitamente disse:

– Estou tão contente que tenha vindo. Seu pai virá hoje à tarde. Ele deve chegar a qualquer momento.

Embora as palavras fizessem seu coração palpitar, Abby manteve o sorriso no rosto. Quando Abby fora forçada a contar a sua mãe que um ataque repentino havia levado o homem que era um herói para as duas, chegou a pensar que aquele seria o pior dia de sua vida. Mas o pior acabou sendo aquele em que Abby chegou à casa de repouso, com os olhos tão inchados de tanto chorar que mal conseguia enxergar, e descobriu que sua mãe havia esquecido toda a conversa que tiveram.

Ela virou o rosto esperançoso para Abby e disse:

– Seu pai está com você? Ele sempre vem às quintas.

Mais uma vez, Abby fora forçada a dilacerar o coração de sua mãe. Mais uma vez, sua mãe caiu em seus braços soluçando feito uma criança que tinha perdido a mãe e o pai. Essa situação continuou por quase uma semana até que Abby, exausta e emocionalmente abalada, decidiu que nenhuma das duas sobreviveria a mais um dia revivendo tamanha dor.

Agora sua mãe parecia perfeitamente satisfeita em dizer a todos que o pai de Abby viria visitá-la. Não parecia incomodá-la o fato de ele nunca aparecer. Talvez fosse menos doloroso passar o resto da vida esperando por ele que admitir que nunca voltaria.

Abby usou o dedo mindinho para aplicar um pouco de rímel lavanda nos delicados cílios de sua mãe.

– Eu conheci uma pessoa, mamãe.

– O Elvis? Conheceu o Elvis?

– Não. O Elvis ainda está em Graceland, com a Priscilla e a Lisa Marie. O nome do homem que conheci é Mark. E acho que ele gosta de mim.

– Ele vai te convidar para o baile da escola?

Abby sentiu um sorriso pequeno e secreto lhe moldar a boca.

– Quem sabe. Acha que devo ir se ele me convidar?

Sua mãe franziu a testa, como se estivesse seriamente analisando a ideia.

– Esse garoto é de confiança? Não quero que você namore ninguém em quem não possa confiar. Nunca gostei de ver você correndo atrás daqueles garotos maus.

O sorriso de Abby desapareceu quando se lembrou de que Mark recuara imediatamente quando ela lhe ofereceu seu número de telefone. Mas depois ele jurara que não havia nada no mundo que ele gostasse mais do que ouvir a voz dela. Ele dissera que queria encontrá-la cara a cara ao falar com ela pela primeira vez, não através da impessoalidade de um celular. E ele a beijara da mesma maneira que Sawyer beijou Kate pela primeira vez em *Lost*.

Colocando de lado o saquinho de maquiagem, ela afundou na cama da mãe, verificando antes se estava seca, por força do hábito.

– Ainda não sei se posso confiar nele. Só sei que ele me faz feliz. Estou saindo mais. Voltei a escrever. Decidi seguir o conselho dele e escrever sobre o que eu *não* sei. Ele tinha toda a razão. Posso ter só uma vida para viver, mas isso não significa que tenha só uma história para contar.

Os olhos de sua mãe já começavam a querer fechar-se. Seu queixo caiu na direção do peito.

A voz de Abby foi desaparecendo quando ela percebeu que estava falando sozinha novamente. Talvez estivesse sempre falando sozinha.

– Mesmo que ele seja confiável, não sei bem se posso confiar nele. – Ela inclinou a cabeça para olhar o rosto adormecido de sua mãe, com o coração transbordando de amor impotente e culpa. Ela não desejava prolongar o sofrimento de sua mãe, mas, de modo egoísta, já temia o dia em que não poderia mais entrar naquele quarto e descansar a cabeça na maciez do ombro materno, assim como faz uma menininha que busca conforto depois de um pesadelo. – Não sei se posso confiar em alguém, mamãe – Abby sussurrou. – Primeiro a senhora me abandonou. Depois foi o papai.

Sua mãe levantou a cabeça e olhou diretamente para Abby com os olhos brilhando com tamanha fé que fez Abby recordar-se dos piqueniques de verão e das manhãs de Natal.

– Seu pai não a abandonou, querida. Ele vai chegar daqui a pouco.

Capítulo 12

Segunda-feira, 13 de junho – 19h59

MarkBaynard: Abby? Precisamos conversar.

Abby_Donovan: Não são essas as duas palavras mais temidas que um homem pode ouvir de uma mulher?

MarkBaynard: Talvez seja por isso que eu esteja me adiantando em dizê-las.

Abby_Donovan: Você está terminando comigo, não está? Encontrou alguma outra mulher no Twitter com uma língua mais quente e mais úmida.

MarkBaynard: Escute... eu sei que é difícil eu parecer sério, mas estou falando sério desta vez. Muito sério.

Abby_Donovan: Bom. Porque eu também preciso falar com você. Seriamente.

MarkBaynard: Por favor, deixe-me dizer o que eu preciso primeiro.

Abby_Donovan: Eu achava que as mulheres sempre falavam primeiro. Ou isso foi só no *Titanic*?

MarkBaynard: Uma metáfora perspicaz, eu temo. Fiquei pensando em tudo – em você – todos os minutos de todos os dias desde que você me ofereceu o número do seu celular.

Abby_Donovan: Muito bem, agora você está começando a me assustar. Não quer saber como estou vestida? Ou como não estou?

MarkBaynard: Me pergunte em que lugar do mundo eu estou hoje.

Abby_Donovan: Ãh?

MarkBaynard: Vamos lá. Pergunte onde estou hoje.

Abby_Donovan: Está... bem. Em que lugar do mundo está Mark Baynard hoje?

MarkBaynard: VISTA DO MEU iPHONE: http://twitphoto.com/MB7sti

Abby_Donovan: Não consigo adivinhar o que é isso. Parece uma cadeira de rodas num tipo de corredor.

MarkBaynard: É a vista do meu quarto de hospital.

Abby_Donovan: Ah, Mark, o que aconteceu? Você está bem?

MarkBaynard: Não, não estou. Nunca estive.

Abby_Donovan: Não estou entendendo.

MarkBaynard: Você estava certa sobre mim desde o começo. Sou um impostor.

Abby_Donovan: Então você é MESMO o Batman?

Mark Baynard: Não, sou mesmo o Mark Baynard, professor de literatura em um ano de licença da Ole Miss. Mas o único lugar para onde eu viajei neste ano...

Mark Baynard: ... foi para um hospital especializado em tratamentos experimentais para o linfoma não Hodgkin.

Abby_Donovan: Linfoma? De... câncer?

MarkBaynard: Receio que sim. Eu consegui vencê-lo quando era adolescente, mas ele voltou há uns dois anos, quando fiz 33.

Abby_Donovan: Sempre ouvi dizer que um linfoma não Hodgkin era uma das formas mais tratáveis de câncer.

MarkBaynard: Pode ser.

Abby_Donovan: O que está tentando dizer?

MarkBaynard: Que nem sempre se pode acreditar no que se ouve.

Abby_Donovan: Isso está ficando dolorosamente óbvio. Então deixa eu entender direito: nunca houve Paris? Nada de Toscana? Vale do Loire?

MarkBaynard: Não. Só eu sentado neste quarto de hospital com o meu laptop em semi-isolamento esperando pelos cientistas malucos que vêm colher minhas células-tronco.

Abby_Donovan: E as fotos que você mandou? A Torre Eiffel? A Fonte de Netuno? O Castelo de Blarney?

Mark Baynard: Só fotos que eu tirei da Internet dos lugares que nunca tive tempo de ver antes de ter a recaída.

Abby_Donovan: Então todo o nosso relacionamento foi baseado em uma mentira?

Mark Baynard: E em algumas das verdades mais profundas que já compartilhei com alguém. Só deixei de lado as partes da quimioterapia e do vômito.

Abby_Donovan: Por quê? Por que você faria uma coisa dessas? Acha que eu não conseguiria lidar com isso?

Mark Baynard: Não era problema seu. Por que deveria lidar com isso?

Abby_Donovan: Você poderia ter confiado em mim o bastante para me deixar decidir sozinha. Não precisava ter mentido.

Mark Baynard: Eu não estava mentindo só para você. Estava mentindo para mim mesmo...

Mark Baynard: ... Eu queria fingir que não era tarde demais para viajar a todos os lugares românticos que eu sempre sonhei conhecer...

Mark Baynard: ... para acreditar que posso realmente começar aquele livro que venho planejando na minha cabeça desde que me formei na faculdade...

Mark Baynard: ... para flertar com uma mulher inteligente, divertida e irresistível.

Abby_Donovan: Você esqueceu o *idiota e ingênua.*

Mark Baynard: Eu nunca a vi dessa maneira. Nem por um tweet sequer.

Abby_Donovan: Você deixou que eu ficasse reclamando do meu patético caso de bloqueio criativo enquanto você lutava pela vida? Como acha que isso me faz sentir?

Mark Baynard: Neste momento, imagino que muito brava. Mas "lutar" pode ser uma palavra muito forte. "Oscilar violentamente", talvez.

Mark Baynard: Abby?

Mark Baynard: Diga alguma coisa. Qualquer coisa.

Mark Baynard: Acho que você tem só duas palavras para mim agora. E não são "Br*tney Sp*ars."

Mark Baynard: E acho que só uma delas é aprovada pela censura.

Mark Baynard: Eu fui um idiota e não a culpo por me odiar. Você tem todo o direito de ficar fula da vida. Mas não me isole, por favor.

Mark Baynard: Abby?

Mark Baynard: Tweetheart?

Abby_Donovan: #MarkFAIL

***

O disco rígido do laptop rangeu e parou. Abby fechou a tela suavemente, com os dedos entorpecidos. Pela primeira vez ela se arrependia de ter comprado o laptop com capa de aço. Ela queria bater a tela repetidamente sobre o teclado até não sobrar nada exceto fragmentos de vidro e plástico. Ela queria pegar os odiosos restos e jogá-los pela janela, fazendo tudo se esmigalhar sobre a 5ª Avenida com um impacto que deixaria o mundo inteiro em suspenso, incluindo seu coração.

O que importava se Mark tinha mentido? Ou mesmo se ele morresse? Ele não era nada para ela. Só um estranho que ela fora ingênua o bastante para conhecer através da Internet. Ele não era mais real que os atores nas capas dos tabloides da mercearia do bairro. Não era mais real que o Sr. Darcy olhando com arrogância para Elizabeth Bennett da altivez de seu orgulho.

A intimidade que eles compartilharam não era mais que uma ilusão cuidadosamente elaborada. A falta de sentido de seus pequenos rituais. As piadinhas bobas. Os segredos que eles trocaram. Seus encontros imaginários. Seus ridículos planos de se encontrarem no subsolo da Macy's dali a um ano.

Nada daquilo era real. *Ele* não era real.

O que importava se ele havia enviado seus tweets de uma solitária cama de hospital e não de um ensolarado vinhedo na Toscana, do outro lado do mundo? Por que ela se importaria se ele ficasse acordado até de madrugada assistindo a infinitas reprises de *Supergatas* porque era melhor que ouvir os monitores contarem cada batida de seu coração e imaginar quantas ainda lhe restavam?

Ela levou as mãos ao rosto para esfregá-lo, surpresa por encontrá-lo úmido. Não se recordava da última vez em que havia chorado. Suas lágrimas pareciam ter secado durante aquela terrível semana em que contou sobre a morte do pai para sua mãe repetidas vezes.

Willow Tum-Tum roçou o corpo em sua perna, naquela empatia especial que alguns gatos pareciam possuir, enquanto Buffy olhava com uma estranha curiosidade da banqueta diante do sofá.

Ela olhou para o laptop por entre lágrimas. Mesmo o deixando em silêncio, ela ainda podia ouvir a voz de Mark:

"Só não estou convencido de que aquele pobre coitado que termina a vida vomitando as entranhas em uma lata de lixo no hospital pode concordar com você."

"A vida tem significado simplesmente porque é... vida. Você não precisa sair e bater a sua BMW num poste para dar valor a ela."

"Existem mortes significativas. E existe o absurdo e as mortes absolutamente sem sentido. Infelizmente, a gente não pode escolher qual delas vai ter."

"Em um romance de John Irving, ninguém sofre uma morte inútil."

"Minha morte preferida? Morrer engasgado com donuts."

Ela se levantou e começou a andar compassadamente pelo longo e estreito apartamento. Desejou, pela primeira vez, ter alugado um loft espaçoso no Soho. Nunca seu apartamento se parecera tanto com o quarto de hotel reformado que ele, na verdade, era. As paredes pintadas com bom gosto pareciam se fechar em torno dela. Ela só conseguia respirar em golfadas que faziam seu coração parecer querer explodir de seu peito. As sombras do crepúsculo começaram a cair lá fora, levando o resto da luz do dia e transformando as ruas da cidade, lá embaixo, em túneis sombrios.

Ela escancarou a porta da geladeira. Só foi preciso uma rápida olhada em seu conteúdo para perceber que esta era uma ferida que nenhuma quantidade de sorvete poderia curar.

Abby largou a porta, que se fechou sozinha, e apoiou a testa latejante no frio aço inoxidável. Quase podia sentir o laptop agachado lá atrás, como uma criatura viva e sombria, respirando. Não suportando mais a sua muda repreensão, ela pegou a carteira, as chaves e fugiu do apartamento.

* * *

Abby só queria disparar pela Grand Army Plaza e desaparecer nas sombras do parque para lamber suas feridas. Mas, mesmo em seu estado agitado, ela sabia que andar sozinha no parque depois de anoitecer era o convite para um assalto, estupro ou assassinato sair das manchetes e ser apresentado em um episódio de *Law and order* ou *CSI: Nova York*. Então, ela virou à direita e desceu a 5ª Avenida, abrindo caminho pela multidão de frequentadores de teatros que se dirigiam às luzes brilhantes da Times Square.

A vasta e variada população da cidade era, ao mesmo tempo, sua bênção e sua maldição. A liberdade do anonimato podia ser inebriante até o momento em que você percebia que estava rodeado por milhões de pessoas e nenhuma delas dava a mínima se você vivesse ou morresse.

Ao passar pelas iluminadas vitrines da Saks, os fantasmagóricos manequins em seus vestidos de grife olharam para ela com igual apatia, como se dissessem: "Nós temos bicos em nossos seios, mas não precisamos deles. Nunca conheceremos sua dor."

A noite caiu por completo enquanto ela caminhava. As luzes da cidade piscavam, ganhando vida à sua volta, frias e distantes como estrelas de outra galáxia. Ela andou até sentir a superfície da rua através das solas finas de seus sapatos. Ao despertar de seu devaneio, percebeu que havia passado várias quadras da Times Square e tanto a multidão quanto as luzes haviam diminuído.

Receosa de se aventurar em uma parte da cidade que não conhecia, ela se enfiou na estação de metrô mais próxima.

O trem que ela tomou estava quase deserto, exceto por uma idosa usando um lenço na cabeça, um executivo com ar de cansado lendo o *Wall Street Journal* em seu iPad e um par de adolescentes risonhos todo vestidos de preto com praticamente cada centímetro de sua pele tatuado ou com piercings. Abby afundou-se num dos assentos no fundo do vagão. Respirando o ranço muito familiar de suor velho misturado com vários outros odores felizmente não identificáveis, ela fechou os olhos e se entregou ao ritmo balançante do trem. Quando voltou a abri-los, havia chegado à estação da Rua Franklin.

Ela saiu da estação na esquina da Franklin com a Varick, no coração de Tribeca. E percebeu que, na verdade, sabia para onde estava indo o tempo todo. Ela havia passado dois anos, desde a morte de seu pai, convencendo a si mesma de que não precisava de ninguém. Que seu trabalho e o ritmo vibrante da cidade seriam suficientes para ampará-la. Mas então apareceu Mark, na pior hora possível, e provou que ela estava errada.

Abby havia se esquecido de pegar seu celular ao sair correndo do apartamento, então não tinha escolha a não ser ficar à mercê do porteiro que montava guarda nas portas giratórias de vidro do arranha-céu de luxo. Com o cabelo desgrenhado e os olhos vermelhos, ela devia parecer uma viciada qualquer do Greenwich Village que havia saído do metrô na estação errada. Se o porteiro não se lembrasse dela de outras visitas, nunca a teria deixado entrar no prédio.

Antes que tivesse tempo de recuperar o fôlego, um elevador expresso a levou para o 37º andar. Sentindo-se como uma pedinte, ela bateu na porta que ficava no fundo do corredor, já sabendo que a possibilidade de haver alguém em casa era muito pequena ou nenhuma.

Foi quase um choque quando a porta se abriu e apareceu Margô, vestindo um robe de seda curto vermelho com estampa asiática. Estava descalça, mas seu cabelo estava perfeitamente arrumado. O homem de origem hispânica mais lindo que Abby já vira apareceu na porta do quarto, usando nada além de uma toalha e uma expressão de insatisfação.

O rosto de Margô se iluminou quando ela viu Abby.

– Você veio, querida! Achei que fosse aparecer só de manhã. – Antes que Abby pudesse dizer uma palavra, ela virou as costas e caminhou pelo piso de granito procurando não fazer barulho, dirigindo-se para a mesa de vidro e aço que se encontrava junto às janelas. Ela procurou em várias pastas de arquivo com suas longas unhas carmim. – Por sorte, eu peguei o bilhete quando vim do escritório. No começo, não achei que eles iam deixar que eu transferisse minhas milhas, mas, quando terminei de falar com o representante da companhia aérea, ele estava implorando para me passar... quer dizer, passar você... para a primeira classe. Ah, aqui está! Eu ainda acho que você é maluca de atravessar o mundo para ir encontrar um homem que pode ser o próximo Ted Bundy, mas pelo menos isso vai tirá-la do apartamento por alguns dias, certo? E olha, eu não me importo de ir alimentar suas monstrinhas peludas, mas aquela Muffy, Fluffy, Tuffy, ou seja lá o que for, ainda me dá arrepios.

Margô estava na metade do caminho de volta quando levantou os olhos do papel que tinha nas mãos e percebeu que Abby não havia saído da porta. Ela se aproximou e começou a se preocupar quando viu o rosto de Abby.

– Abby? O que aconteceu, querida? Você está bem?

Sentindo novas lágrimas lhe queimarem os olhos, Abby limpou o nariz que escorria com as costas da mão.

– Acho que não vou precisar da passagem, mas preciso que você dê um chute no meu traseiro branquelo e o mande para a Lua para mim. Eu deixo você ser a Oprah durante um mês inteiro se não disser "eu avisei", ou "Deus abençoe seu coraçãozinho".

Com o rosto tomado pela compaixão, Margô abriu os braços. Abby caiu em um soluço choroso, ainda sem saber se estava chorando por Mark ou por ela mesma.

Capítulo 13

Assisti ao episódio QI de FRASIER *ontem à noite. Fiquei sabendo que sou mais esperta do que o Frasier, mas mais burra do que o Niles.*

Se eu fosse presidente, nomearia um czar para o Starbucks, um czar para massagens com pedras quentes e um czar para o chocolate amargo do M&M's.

Os médicos deveriam distribuir frascos de M&M's amargo com o rótulo de COMPRIMIDOS DA FELICIDADE. *Tome 30 e não me telefone pela manhã.*

Caro novo CD de New Age: Esta faixa poderia ser mais relaxante se não se parecesse tanto com a música tocada quando o TITANIC *estava afundando.*

Abby suspirou bem alto, ganhando um olhar vagamente irritado do homem que folheava o *Times* e bebia um caramelo macchiato na mesa ao lado. Lá estava ela novamente. Twittando em sua cabeça. Colecionando observações de 140 caracteres ou menos para compartilhar com Mark. Ela desejava desesperadamente que houvesse alguma maneira de desligar o botão da obstinação em seu cérebro para que ele parasse de twittar. Era como se ele estivesse enviando algum tipo de sinal de emergência para uma torre que não mais o recebia.

Ela tomou um gole de seu café com leite e fez uma careta. A bebida havia gelado enquanto ela permanecera sentada observando os carros passarem na 5ª Avenida e papeando com um fantasma. Antes de "conhecer" Mark, ela não tinha vontade de sair de seu apartamento. Agora ela só voltava lá para dormir. Não conseguia suportar a ideia de ficar presa na mesma sala com o seu laptop, muito menos pensar em ligá-lo. Ela o abandonara na escuridão e no silêncio desde que entrara no Twitter pela última vez, quase uma semana atrás.

Durante aquela semana, ela tinha aprendido que havia muitos lugares em Nova York onde era possível ficar o dia inteiro sem ser preso por vagabundagem – a biblioteca pública, o Guggenheim, o Metropolitan, o Rockefeller Center, a Catedral de St. Patrick. Em uma tarde de sol ela até reivindicou um dos bancos de ferro que perfilavam a Poet's Walk. Mas ver todos aqueles casais felizes a fizera sair do parque para perambular pelas ruas fervilhantes até ficar tão exausta que não teve escolha a não ser voltar para o apartamento e cair na cama. Ela tinha dormido a noite inteira sem ter nenhum sonho sequer.

Depois disso, ela retornara para seu velho e conhecido reduto. Movida a cafeína e justa indignação, ela tinha escrito em vários Starbucks a semana toda, rabiscando páginas e páginas de seu novo livro em um bloco de papel pautado com sua letra quase ilegível. A julgar pelos sorrisos arrogantes de seus companheiros do Starbucks, com seus elegantes iPads e vibrantes BlackBerries, era possível afirmar que ela estava usando um cinzel para esculpir as palavras em um bloco de pedra.

Talvez conseguisse escapar de seu apartamento e de seu laptop, mas não havia lugar onde ela pudesse escapar de sua própria mente. Ela ainda era assombrada pelo fantasma de um homem que nem existira de fato. Ela poderia jurar que eles haviam caminhado na

Poet's Walk de mãos dadas enquanto trocavam gracejos quase sérios sobre o que buscavam em um relacionamento.

Acha que vai casar novamente?

Não.

Ela podia saber a verdade sobre o problema de Mark, mas não tinha como saber se ele havia respondido daquela maneira porque seu divórcio deixara seu coração muito machucado ou porque ele não acreditava que viveria o suficiente para casar novamente. Ele havia mentido para ela com charme espontâneo, mas eram esses momentos cruéis de honestidade que ela parecia não esquecer.

Ela ainda não acreditava que estava a um tweet de revelar que já havia comprado uma passagem para Dublin. De dizer a ele que a fé inabalável de sua mãe no amor – uma fé que transcendia até a morte – a inspirara a arriscar. A destruir as muralhas que ela havia construído em torno de seu coração, mesmo que isso significasse arriscar tudo oferecendo-se a um homem que ela mal conhecia.

Mas, antes que pudesse fazer isso, Mark o fez.

Ela não queria pensar em como deve ter sido difícil para ele confessar, nem queria imaginá-lo deitado numa cama de hospital durante todo o tempo em que twittaram. Ela não se permitia sentir pena dele. Não havia sobrado nenhum espaço em seu coração para lamentar mais uma perda. Ela queria se apegar à sua raiva pelo máximo de tempo possível. Tinha medo do que poderia sentir quando não tivesse mais como se proteger.

Ela rabiscou outra linha em seu bloco, esperando ocupar sua mente com algo mais produtivo que ficar ruminando esses pensamentos. Um ruído familiar estalou atrás dela. Ela ficou imóvel, com o som cortando seu coração como uma lâmina, depois virou-se lentamente e olhou, como se temesse que qualquer movimento brusco pudesse cortar uma artéria importante.

Uma garota de 20 e poucos anos com uma pashmina jogada sobre um ombro havia se instalado à mesa atrás dela e abriu o laptop, revelando as diferentes colunas do Tweetdeck. A garota sorriu ao lê-las e depois correu os dedos rapidamente sobre o teclado para elaborar uma resposta.

Uma semana atrás, poderia ter sido ela, Abby pensou. Mas veio a descobrir, desde aquela noite em que abandonou Mark no meio de um tweet, que uma semana podia ser uma eternidade.

Ou poderia ser somente um piscar de olhos na vida de um homem que combatia um linfoma.

Tomada por uma súbita onda de pânico, Abby ficou de pé em um pulo e enfiou seu bloco dentro do portfólio com as mãos trêmulas. Rumou para a porta, tropeçando nas pernas esticadas do homem que tomava o caramelo macchiato.

– Me desculpe – ela disse, passando depressa por ele e seu olhar de desaprovação por sobre o jornal. – Me desculpe, de verdade.

* * *

Abby olhou para a tela de seu laptop, hipnotizada pelo animado quadrado amarelo com a silhueta de um passarinho aninhado em sua tela. Ela só precisava posicionar o cursor sobre ele e clicar para abrir o Tweetdeck. Já tinha dado o primeiro passo ao ligar o computador.

Ela firmou os dedos trêmulos, fechando-os sobre o mouse sem fio. Buffy e Willow Tum-Tum observavam cada movimento seu dos pés do futon que ela chamara de cama nos últimos quatro anos, parecendo entediados e ao mesmo tempo curiosos de um modo que só os gatos conseguem.

Lá fora, o sol já havia começado a se pôr. Em breve a sala estaria iluminada somente pelo brilho íntimo do laptop. Se Mark não estava mesmo na Europa, então eles talvez até estivessem no mesmo fuso horário. Ele poderia estar em alguma cama de hospital, observando o dia se esvair e se perguntando se ela estaria fazendo o mesmo.

Sabendo que só havia uma maneira de descobrir, ela deu uma batida decidida no mouse com o dedo indicador. Seu esquecido Tweetdeck ganhou vida, com sua organizada fileira de colunas preenchendo a tela. No começo, ela estava completamente vazia. Abby não percebeu que prendia a respiração até o primeiro tweet aparecer na tela com um ruído animado, sendo rapidamente seguido por uma estonteante coleção de outros.

Abby nem olhou para eles. Ela só tinha olhos para a coluna vazia das mensagens diretas. Fechou os olhos brevemente, com o coração lhe apertando o peito. Quando olhou novamente, a coluna de mensagens diretas estava cheia. Confusa, ela espremeu os olhos para vê-la. Todas as mensagens tinham vindo da mesma pessoa, mas ela não reconheceu a foto do perfil. Foi então que percebeu que Mark havia mudado seu avatar, do genérico pássaro do Twitter para uma foto de John Cusack segurando um aparelho de som portátil perto da cabeça, como o Lloyd Dobler de *Digam o que quiserem*.

Ela colocou a mão sobre a boca para reprimir um som que era um misto de riso e choro.

Sabendo que só seria possível ler os mais recentes tweets dele no Tweetdeck, ela minimizou o aplicativo e foi diretamente para o site do Twitter. Todas as mensagens diretas que recebera ainda estavam guardadas lá. Ela teve que voltar quatro páginas para encontrar a data em que, muito ofendida, saiu correndo de seu playground cibernético.

Mais de 24 horas se passaram antes que Mark ousasse twittar novamente.

* * *

Terça-feira, 14 de junho - 19h35

MarkBaynard: Acho que você deve estar ouvindo *We used to be friends* com os Dandy Warhols. (Você sabe - o tema de *Veronica Mars*.)

MarkBaynard: Você não deixou de me seguir nem me bloqueou, então presumo que ainda esteja recebendo meus tweets.

MarkBaynard: Quero que saiba que não a culpo por me manter afastado.

MarkBaynard: Eu nem vou levar para o lado pessoal se estiver querendo que eu morra neste momento. Mas devo alertá-la de que vai precisar mais do que isso para me matar.

MarkBaynard: Meus médicos estão tentando me matar desde que eu tinha 16 anos. Eles redobraram seus esforços recentemente, mas ainda com sucesso limitado.

MarkBaynard: Até agora, eles só conseguiram fazer com que eu DESEJE morrer.

MarkBaynard: Pelo menos ainda temos isso em comum. Nós dois desejamos que eu morra.

MarkBaynard: Você deve estar esperando que eu diga que sinto muito. Mas não sinto, e estaria mentindo se dissesse isso.

MarkBaynard: E eu imagino que você já deve estar farta de mentiras. A verdade é que você foi o único ponto de luz que surgiu em algumas semanas muito sombrias.

MarkBaynard: Se não fosse por você, eu nunca teria visitado a Torre Eiffel enquanto bebericava um expresso num café de Paris.

MarkBaynard: Eu nunca teria presenciado o sol se pôr sobre os vinhedos em uma varanda na Toscana.

MarkBaynard: Eu nunca teria ouvido os sinos da catedral ecoarem por uma praça em Florença.

MarkBaynard: E eu nunca teria beijado a pedra de Blarney e desejado encontrar as palavras para lhe contar a verdade.

MarkBaynard: Então, eu não me arrependo de ter mentido para você, mas peço desculpas por ser um cretino egoísta por ter feito isso.

MarkBaynard: E, tentando não ser mais um cretino mentiroso e egoísta, agora eu confesso que tenho um linfoma não Hodgkin em estágio 3.

MarkBaynard: (Eles esperam que eu saia desse estágio se este novo tratamento experimental funcionar.)

MarkBaynard: Fui diagnosticado e fiz quimioterapia e transplante de medula óssea pela primeira vez quando tinha 16 anos.

MarkBaynard: Fiquei sem os sintomas por 17 anos, até que o linfoma decidiu me atacar novamente. Não respondi bem ao tratamento desta vez.

MarkBaynard: Eles passaram os últimos meses se preparando para colher minhas células-tronco para um novo tratamento experimental.

MarkBaynard: Esta doença é meio parecida com o sistema penal da Califórnia – três *strikes* e você já era.

MarkBaynard: No momento, a conta está em dois *strikes* e três bolas. Mas eu decidi que seria melhor deixar passar algumas...

MarkBaynard: Ah, droga, aí vem a minha enfermeira com a medicação das oito da noite: http://twitphoto.com/MB7stj

MarkBaynard: Você é jovem demais para reconhecer a enfermeira Ratched? É em momentos como este que eu sinto muita saudade de sua fantasia de enfermeira safada.

MarkBaynard: E de você.

MarkBaynard: Boa noite, Tweetheart...

* * *

Quarta-feira, 15 de junho - 19h30

MarkBaynard: Espero que não fique desapontada ao saber que ainda estou preso à vida.

MarkBaynard: A noite passada foi difícil. Depois que a enfermeira Ratched e sua medicação misteriosa e mágica acabaram comigo, fiquei ligado demais para dormir.

MarkBaynard: A única coisa passando na TV era uma maratona de *Keeping up with the Kardashians*, que me deixou mais ansioso pelo doce esquecimento da morte.

MarkBaynard: Então eu baixei uma cópia de *A fine and private place* e passei a maior parte da noite lendo o seu livro favorito.

MarkBaynard: Se você tivesse me dito que era sobre um sujeito que mora em um cemitério, alguns fantasmas e um irritante corvo falante, eu já o teria lido há muito tempo.

MarkBaynard: O corvo me fez lembrar de mim mesmo. Gosto disso num pássaro que fala.

MarkBaynard: Não consigo decidir se a moral da história é que o amor transcende a morte ou que a morte transcende o amor.

MarkBaynard: Eu aprendi que a náusea transcende tanto o amor quanto a morte. Igual aos ovos em pó mexidos que eles servem no café da manhã daqui.

MarkBaynard: Quem poderia saber que era possível ficar enjoado e morrendo de fome ao mesmo tempo?

MarkBaynard: Eu estava pensando que poderíamos ir ao Cracker Barrel no nosso próximo encontro.

MarkBaynard: E talvez pedir um daqueles pratos de degustação enormes com ovos, bolachas e molho, batatas, maçãs, panquecas, melado, *muffins*...

MarkBaynard: ... e um porco inteiro trazido diretamente para a mesa com outro porco na boca em vez de uma maçã.

MarkBaynard: Esta é a minha triste e pequena fantasia de hoje – você e um montão de bacon.

MarkBaynard: Eu poderia comprar alguma coisa para você na lojinha de presentes enquanto estivermos lá. Talvez umas balas puxa--puxa ou os maiores sucessos de Patsy Cline.

MarkBaynard: Ou um daqueles brinquedos de antigamente em que a gente usava um graveto em uma corda para tentar conseguir que as aparas magnéticas grudassem na cabeça de algum careca.

MarkBaynard: Ou um charuto de chiclete. Eu poderia colocar o pequeno anel de papel que vem ao redor dele e poderíamos fazer piadas sobre como sou pão-duro.

MarkBaynard: É claro que, se você for uma garota mais chegada a algum outro restaurante, eu vou compreender.

MarkBaynard: Eles costumam deixar que eu use as minhas próprias roupas, exceto nos dias em que tenho que fazer mais testes.

MarkBaynard: Essas roupas de hospital dão um novo sentido ao termo "exibicionista".

MarkBaynard: Hoje eu acidentalmente mostrei as nádegas para a velha rabugenta do quarto ao lado e para a técnica de raio-X ultra mal-humorada.

MarkBaynard: Pelo menos eu fingi que foi acidental.

MarkBaynard: Boa noite, Tweetheart...

* * *

Quinta-feira, 16 de junho – 15h47

MarkBaynard: Se é vingança que está tramando, deve ser um deleite para você saber que minha mãe apareceu na cidade para me visitar. (Acordes do tema de Darth Vader.)

MarkBaynard: Mesmo depois de tantos anos convivendo com esta doença, ela ainda parece dividida entre afofar meu travesseiro e me sufocar com ele.

MarkBaynard: Eu nunca sei ao certo se ela está mais desapontada comigo por ter tanta falta de consideração a ponto de adoecer novamente...

MarkBaynard: ... ou por não ter partido de uma maneira mais oportuna e que não interferisse no seu bingo das noites de segunda.

MarkBaynard: Acho que, lá no fundo, ela sempre acreditou que não há doença que um maço de cigarros light e um almoço com três martínis não curem.

MarkBaynard: Ou um almoço vendo TV, desde que ela ficou viciada naqueles DVDs de *Sex and the city* que meu irmão deu no último Natal.

MarkBaynard: Nem consigo expressar o quanto me perturbou ouvi-la usar "absolutamente" em uma sentença pela primeira vez.

MarkBaynard: Quando eu era adolescente e estava em tratamento, sempre tinha medo de que ela aparecesse no hospital e bebesse acidentalmente um dos meus coquetéis radioativos.

MarkBaynard: Eu já te disse que ela fala para todo mundo que tem cinco anos a mais do que realmente tem só para as pessoas dizerem "Nossa! A senhora está ótima para a sua idade!"?

MarkBaynard: Vou começar a dizer para todo mundo que tenho 75 anos para eles comentarem como estou fabuloso.

MarkBaynard: Imagino que você esteja alegremente enfiando alfinetes num vodu de Mark Baynard neste momento, porque aí vem mais um vampiro do laboratório.

MarkBaynard: Aqueles vampiros cintilantes de *Crepúsculo* não são páreo para estes caras. Eles já drenaram tanto do meu sangue que dava para alimentar todo o clã dos Cullens.

MarkBaynard: Tentei pendurar um cordão de alho no meu suporte de soro, mas acontece que um deles adora comida italiana. Ele pegou o alho E o meu sangue.

MarkBaynard: Se me dá licença, tenho que ceder minhas veias (e o que sobrou da minha alma) ao conde Crápula.

MarkBaynard: Na esperança de que meu sofrimento a faça vibrar.

MarkBaynard: Boa noite, Tweetheart...

* * *

Sexta-feira, 17 de junho – 01h15

MarkBaynard: Então, quantos dias (e noites) eu tenho que falar com você sem ter resposta antes que isso se qualifique como perseguição?

MarkBaynard: A esta altura da minha vida, até a visita da polícia seria qualificada como uma distração bem-vinda. (Ou de Chris Hansen, de *To catch a predator*.)

MarkBaynard: A única coisa que eles não dizem a você sobre morrer (ou tentar não morrer) é que isso pode ser assustadoramente entediante.

MarkBaynard: Se eu tivesse um hospital, eu o decoraria igual a Neverland, do Michael Jackson, com girafas, carrosséis e montanhas-russas.

MarkBaynard: Pelo menos aí eu teria uma boa razão para passar a maior parte do dia vomitando.

MarkBaynard: Ou talvez fosse melhor decorá-lo como a mansão da Playboy, com muitas loiras intercambiáveis com muitos peitos intercambiáveis.

MarkBaynard: Pelo menos aí eu teria uma boa razão para passar a maior parte do dia na cama.

MarkBaynard: Você não acha que eu ficaria melhor vestindo um smoking de seda, com uma loira boboca em cada braço, do que nesta roupa de hospital?

MarkBaynard: Por falar em Michael Jackson, eu me diverti hoje de manhã lendo o relatório da autópsia dele na Internet.

MarkBaynard: Coisa Estranha para Ler Depois de uma Autópsia: "Ele estava com a saúde muito melhor do que esperávamos." Bom, é... só que ele estava MORTO.

MarkBaynard: Já que estou sem fazer nada, não tenho outra coisa a fazer, a não ser imaginar o que você está fazendo.

MarkBaynard: Além de sentar e esperar que o Congresso venha inspecionar se temos lâmpadas incandescentes para confiscá-las.

MarkBaynard: Você deve estar ocupada twittando com algum outro professor de literatura inglesa num ano sabático que não tenha linfoma e esteja em Paris de verdade.

MarkBaynard: Espero que tenha sido um dia de um frappuccino só. Espero que as palavras tenham fluído das pontas de seus dedos como rios de chocolate amargo.

MarkBaynard: Espero que Buffy, a caça-ratos, não tenha comido a Willow Tum-Tum. Nem você.

MarkBaynard: Espero que você me perdoe algum dia.

MarkBaynard: Boa noite, Tweetheart...

* * *

Domingo, 18 de junho – 03h31

MarkBaynard: Oi, benzinho. (Isso soou muito como o Tommy Lee falando com a Pam Anderson em um daqueles filmes de sexo?)

MarkBaynard: São 3 e meia da manhã e parece que até os anjos estão dormindo.

MarkBaynard: O véu que separa o mundo deles do nosso fica muito fino a esta hora da madrugada.

MarkBaynard: O hospital parece direitinho com aquele do *Halloween 2*, com corredores pouco iluminados e enfermarias desertas.

MarkBaynard: Eu fico esperando que o Michael Myers apareça e se ofereça para esculpir uma abóbora do Halloween com o meu cérebro.

MarkBaynard: Tive uns dias péssimos. O médico receitou medicamentos novos para a dor, então agora estou com dor E estou drogado.

MarkBaynard: Sempre evitei twittar com você quando estava drogado porque tinha medo que pensasse que eu era viciado.

MarkBaynard: Mas, agora que você SABE que sou viciado, que importa?

MarkBaynard: Eu queria que este fosse um daqueles filmes do Nicholas Sparks em que todo mundo morre com o cabelo lindo e um fundo musical romântico.

MarkBaynard: Ele sempre deixava de fora os vômitos. E os gemidos.

MarkBaynard: Se eu tivesse uma trilha sonora, seria provavelmente *B-boys makin' with the freak freak*, dos Beastie Boys.

MarkBaynard: Eu diria que queria estar morto neste momento, mas seria meio redundante.

MarkBaynard: Eu diria que queria que você estivesse aqui, mas não desejo que ninguém fique preso neste buraco comigo, nem meu pior inimigo.

MarkBaynard: Nem mesmo o escocês sem pescoço que roubou o dinheiro do meu almoço (e a minha malinha) e me trancou no meu próprio armário na 7ª série.

MarkBaynard: Tá bom... ele, talvez.

MarkBaynard: Sonhei com o meu filho ontem à noite.

MarkBaynard: Foi tão maravilhoso vê-lo, mas ele estava parado no fim de um túnel comprido e, por mais rápido que eu corresse, não conseguia alcançá-lo.

MarkBaynard: Acho que não precisamos de Freud para interpretar isso, precisamos?

MarkBaynard: Eu queria ter sonhado com você também.

MarkBaynard: Zo, odd upi dp, ivj zoy hryd dp; pmr; u yjod yo, r pg mohjy/

MarkBaynard: Opa... desculpe. Coloquei os dedos nas teclas erradas. Não consigo lembrar o que eu ia dizer. Algo muito profundo, estou certo.

MarkBaynard: Eu não imaginava que poderia sentir tanta saudade da sua voz, quando eu nunca na verdade a ouvi.

MarkBaynard: Boa noite, Twe...

* * *

Foi bom que os tweets de Mark terminassem aqui, porque a tela do laptop estava ficando inundada diante dos olhos de Abby. Ela buscou às cegas a barra de sua camiseta, usando-a para limpar o rosto cheio de lágrimas até o calendário em sua mesa voltar a entrar em foco.

O último tweet inacabado de Mark havia sido postado havia mais de 48 horas. Ela ficou sentada no escuro por muito tempo, banhada pelo brilho da tela do laptop. Ler os tweets de Mark tinha sido como tirar a casca de uma ferida que estava só começando a cicatrizar.

Ela minimizou o Twitter e abriu seu Tweetdeck. Sua mão pairou sobre o mouse. Com um clique ela poderia deixar de segui-lo ou bloqueá-lo, e voltar a viver uma vida segura em seu pequeno apartamento alugado, sem dramas nem complicações desnecessárias a não ser as que ela mesma criava nas páginas de seus romances. Ela poderia olhar para a relação que eles criaram como nada além de uma distração boba. Algo para distraí-la da mundana e quase sempre dolorosamente solitária realidade da vida de uma mulher solteira na cidade de Nova York.

Como um apêndice desencarnado de algum filme de terror dos anos 60, sua mão lentamente se afastou do mouse, indo na direção do teclado do laptop. Depois de uma breve hesitação, seus dedos atacaram as teclas, digitando três palavras: *Como está vestido?*

Ela apertou o ENTER com um clique decidido de seu dedo mindinho, depois recostou-se na cadeira e esperou.

E continuou esperando.

Conforme o relógio digital no canto da tela marcava os minutos que passavam, ela se esforçava para convencer a si mesma de que Mark estava bem. Ele devia estar assistindo ao *Home improvement* no canal de reprises ou dormindo sob os efeitos de tanta medicação para dor. Com o tempo se arrastando, sua pulsação começou a martelar em seus ouvidos, fazendo com que ela própria se sentisse enjoada.

Ela fechou os olhos, não aguentando mais olhar para o brilho do Tweetdeck. E se houvesse algo errado? Errado *de verdade*. E se ela tivesse desperdiçado muito tempo ficando aborrecida com ele? E se a coisa profunda que Mark estava tentando dizer quando seus dedos caíram sobre as teclas erradas fosse adeus? E se...

Seus olhos se abriram quando o computador fez um ruído, anunciando a chegada de um novo tweet.

Capítulo 14

Terça-feira, 21 de junho – 19h45

Abby_Donovan: Como está vestido?

MarkBaynard: Bata de hospital aberta atrás. Tubo intravenoso. Ar de amarga resignação. E você?

Abby_Donovan: Agasalho com manchas de café, a coroa de rainha do baile de Carrie White em *Carrie, a estranha* e um balde de sangue.

MarkBaynard: Minha nossa... vai acabar comigo, não vai?

Abby_Donovan: Vamos colocar da seguinte maneira: se você não desejou estar morto antes, vai desejar quando eu tiver terminado.

MarkBaynard: Acho que você está prestes a inaugurar aquela fantasia de dominatrix, com chicotinho e tudo, porque eu fui um menino muito levado.

Abby_Donovan: Estou polindo minhas algemas enquanto falamos.

MarkBaynard: Eu já disse que você fica muito bonitinha quando fica brava?

Abby_Donovan: Eu já disse que tenho o telefone da sua mãe na discagem rápida?

MarkBaynard: E dizem que a morte e falar em público são os dois maiores medos de um homem!

Abby_Donovan: Antes de termos essa conversa, eu gostaria de saber quais outras mentiras você contou.

MarkBaynard: Bom, eu não morro de amores pelo *Insane Clown Posse*. Sempre preferi o *Anthrax* ou o *Slayer*.

Abby_Donovan: Você é mesmo divorciado ou isso também foi mentira?

MarkBaynard: Sou tão divorciado que minha ex-esposa está noiva de outro homem.

Abby_Donovan: Ela não perdeu muito tempo, não é?

MarkBaynard: Ele já estava se aquecendo no curral antes de ela me abandonar.

Abby_Donovan: Ela te traiu?

MarkBaynard: Não posso culpá-la. Ela estava procurando algo diferente em um homem. Como um potencial de sobrevivência acima de 20%.

Abby_Donovan: Ela te traiu DEPOIS que você ficou doente? Ela estava no banheiro quando o padre disse "na saúde e na doença" no seu casamento?

MarkBaynard: É isso o que eu recebo por deixá-la me convencer a escrevermos nossos próprios votos.

Abby_Donovan: Deixe-me adivinhar. Ela te chamava de alma gêmea e prometeu permanecer ao seu lado até que a morte os separasse... ou pelo menos até ela receber uma oferta melhor.

MarkBaynard: Tinha alguma coisa a ver com arco-íris e velas, ou talvez pôneis. Mas nada sobre quimioterapia nem sobre segurar a lata de lixo para eu vomitar.

Abby_Donovan: E nós achando que NÓS DOIS é que tínhamos problemas com intimidade!

MarkBaynard: Senti sua falta. Um homem só consegue falar com seu cartaz em tamanho natural da Hillary Clinton durante algum tempo até ela começar a responder.

Abby_Donovan: Por favor, não me diga que eles deixaram você levar aquela coisa para o hospital.

MarkBaynard: O que posso dizer? Ela range menos do que a minha boneca inflável.

Abby_Donovan: Eu esperava que você ficasse ligado assistindo a uma maratona de *Troca de esposas* na TV.

MarkBaynard: Na verdade, eu tenho assistido ao *Planeta terra* – o melhor vídeo que o Valium inventou desde os Teletubbies. Tão calmante!

Abby_Donovan: É, pelo menos até o filhote de elefante se perder no deserto para morrer e os chimpanzés começarem a rasgar a cara uns dos outros.

MarkBaynard: Poxa, muito obrigado! Tinha que me contar o final?

Abby_Donovan: Espere até eu dizer o que acontece com o Meu Melhor Companheiro.

MarkBaynard: Já não é ruim o bastante eu ter que saber o que aconteceu com a Beth em *Adoráveis mulheres* em um episódio de *Friends*?

Abby_Donovan: Eu deduzi que você estivesse assistindo a *Sexo, mentiras e videotape*, ou talvez ao Jim Carrey em *O mentiroso*.

MarkBaynard: Só para você saber... eu menti sobre a minha carreira também. Na verdade, sou modelo de roupa íntima da Calvin Klein.

Abby_Donovan: Que estranho... Ainda ontem eu encontrei a foto de um sujeito chamado Mark Baynard na página do corpo docente no site da Ole Miss.

MarkBaynard: Sua megera safada! Nós tínhamos um trato! Nada de espionagem!

Abby_Donovan: Pelo menos você não mentiu sobre o casaco com os cotovelos de couro.

MarkBaynard: Foi um presente do Calvin Klein.

Abby_Donovan: Só para constar, você se parece mais com o Seth Rogen que com o Hugh Jackman.

MarkBaynard: O Seth Rogen em *There's just more of me to love* ou o Seth Rogen magrinho para fazer o *Besouro verde*?

Abby_Donovan: Entre um e outro. Seu cabelo é lindo (ela acrescentou, emburrada).

MarkBaynard: Ele era.

Abby_Donovan: Bom, eu sempre gostei da nova aparência do Andre Agassi.

MarkBaynard: Graças à quimioterapia e a esses malditos esteroides, estou parecendo mais o Homer Simpson/Dr. Evil ultimamente.

Abby_Donovan: O Dr. Evil é MUITO mais sexy do que o Austin Powers.

MarkBaynard: Muito poucas mulheres conseguem resistir a um homem com um covil no deserto. Ou a um gato pelado chamado Sr. Bigglesworth.

Abby_Donovan: Não vou deixar você raspar a Willow Tum-Tum para poder impressionar as meninas. A Buffy, talvez.

MarkBaynard: Antes que você decida se quer ser uma dessas meninas, tem mais uma coisa que deve saber.

Abby_Donovan: Que você é uma drag queen que imita a Cher, não é? (Não que haja algo de errado nisso.)

MarkBaynard: Eu queria que fosse tão simples assim. Enquanto estávamos em... nosso intervalo... eu meio que... hum... li... seu primeiro livro. (Eu me agacho e corro.)

Abby_Donovan: Quem é a megera safada agora?

MarkBaynard: O que posso dizer? Eu achei que era hora de substituir a Hillary por uma foto sua na contracapa de um livro.

Abby_Donovan: Por favor, me diga que não colou o meu rosto sobre o dela.

MarkBaynard: Vamos colocar da seguinte maneira: você fica muito gostosa num terninho cinza-escuro.

Abby_Donovan: Bom... o que achou?

MarkBaynard: Sobre o romance ou sobre a foto?

Abby_Donovan: Acha que sou tão superficial assim? A foto, é claro.

MarkBaynard: Se a Angelina e a Jennifer tivessem uma filha, seria você.

Abby_Donovan: É muito melhor do que a Marge Simpson e Marilyn Manson. E o romance? Gostou dele tanto quanto da foto?

MarkBaynard: Acho que os críticos que o chamaram de O Novo Grande Romance Americano estavam errados.

MarkBaynard: Abby? Ainda está aí? Você me abandonou novamente?

Abby_Donovan: Eu deveria esperar isso de um professorzinho de literatura inglesa que acha que ELE é que vai escrever O Grande Romance Americano.

MarkBaynard: Seu livro não foi o Novo Grande Romance Americano. Ele foi o Segundo Maior Romance Americano. Seu próximo livro será o maior.

Abby_Donovan: Esqueça a parte do "professorzinho", está bem?

MarkBaynard: Isso significa que estou perdoado?

Abby_Donovan: Nada disso. Significa que vou ficar por perto e continuar te dando porrada até você sair do hospital e eu poder bater pessoalmente.

MarkBaynard: Adoro quando você fala palavrão.

Abby_Donovan: Boa noite, Niles.

MarkBaynard: Boa noite, Daphne.

Abby_Donovan: Boa noite, Frasier.

MarkBaynard: Boa noite, Roz.

Abby_Donovan: Boa noite, Bulldog.

MarkBaynard: Boa noite, Maris.

Abby_Donovan: Boa noite, Marty.

MarkBaynard: Boa noite, Tweetheart...

* * *

Quinta-feira, 22 de junho - 16h15

MarkBaynard: Como está vestida?

Abby_Donovan: Com a minha fantasia de enfermeira safada. http://tweetpic.com/2825290627

MarkBaynard: Eu diria o que estou usando, mas acho que meu coração acabou de parar. Estou ouvindo a enfermeira Ratched vindo pelo corredor com o carrinho de drogas.

Abby_Donovan: Só consigo ouvir meu novo vizinho de 3 anos de idade correndo de um lado para o outro do corredor na frente da porta do meu apartamento com seu triciclo.

MarkBaynard: Já tentou dizer a ele que você tem um forno grande onde assa crianças malcriadas?

Abby_Donovan: Estou preaquecendo o forno neste momento.

MarkBaynard: E então, como está indo o livro?

Abby_Donovan: VISTA DO MEU LAPTOP: http://tweetpic.com/2825190618.

MarkBaynard: Poxa! Já no Capítulo 14? Acho que sei onde estava usando todas as suas palavras quando não as desperdiçava desejando a minha morte.

Abby_Donovan: Acho que consigo mesmo terminar o livro antes do final de julho. Odiar você foi extremamente produtivo para a minha criatividade.

MarkBaynard: Então devo me considerar uma inspiração para as mulheres de todos os lugares.

Abby_Donovan: Está sozinho agora?

MarkBaynard: Não mais.

Abby_Donovan: Sabe o que quero dizer. Tem alguém aí com você?

MarkBaynard: Eu pensei ter ouvido os macacos voadores da minha mãe circulando por aqui, mas era só o helicóptero entregando um rim fresquinho.

Abby_Donovan: Você nunca falou de seu pai.

MarkBaynard: Ele administra uma concessionária de carros para sustentar a bebida e os cigarros da minha mãe. Cigarros Virginia Slims Light não são baratos hoje em dia.

Abby_Donovan: E sua irmã mais nova? Você disse que ela te adorava.

MarkBaynard: E eu também a adoro. E é exatamente por isso que não vou pedir que ela deixe de viver para ficar grudada em mim feito uma idiota.

Abby_Donovan: E o seu filho?

Abby_Donovan: Mark, eu meti meu pezão 38 na sua boca?

MarkBaynard: Eu nunca menti para você sobre o meu filho. Não o vejo há seis meses.

Abby_Donovan: Por causa do seu tratamento?

MarkBaynard: Porque a mãe dele contratou um advogado melhor do que o meu. Ela acredita que ele ainda é jovem o bastante para me esquecer, se as coisas não... derem certo...

Abby_Donovan: Essa é a coisa mais terrível que já ouvi.

MarkBaynard: Não, a coisa mais terrível foi quando eu telefonei para conversar com ele e o ouvi, no fundo, chamando o novo namorado dela de "papai".

Abby_Donovan: Meu Deus! Como pode deixá-la se safar assim?

MarkBaynard: Não tenho força neste momento para lutar com ela e com esta maldita doença. Tenho que escolher as minhas batalhas para poder viver e lutar por ele algum dia.

Abby_Donovan: Ela está errada, sabe? Ele não vai esquecer você.

MarkBaynard: É claro que não vai. O pai dele faz os melhores sanduíches de queijo com bacon do planeta...

MarkBaynard: Além disso, a mãe dele odeia que ele coma qualquer coisa com açúcar, então eu costumava dar para ele bolachas recheadas quando ela não estava vendo.

Abby_Donovan: COISAS QUE VOCÊ GOSTARIA DE TER DITO PARA O SEU EX: "Todos me diziam que eu era boa demais para você. Eles tinham razão."

MarkBaynard: COISAS QUE VOCÊ GOSTARIA DE TER DITO PARA A SUA EX: "Sim, querida, essa calça deixa MESMO a sua bunda grande."

Abby_Donovan: COISAS QUE VOCÊ GOSTARIA DE TER DITO PARA O SEU EX: "Oops, eu estava errada. Tamanho É documento."

MarkBaynard: COISAS QUE VOCÊ GOSTARIA DE TER DITO PARA A SUA EX: "Não sou eu. É você, sim."

Abby_Donovan: Em que lugar do mundo está Mark Baynard hoje?

MarkBaynard: Eu teria que renunciar à minha posição honorária de Homem Misterioso Internacional se revelasse as coordenadas do meu GPS.

Abby_Donovan: Não se me matar depois de contar. Que horas são aí?

MarkBaynard: É hora de parar de tentar me fazer revelar meu paradeiro dizendo em que fuso horário estou.

Abby_Donovan: Maldição! Frustrada mais uma vez! Eu tinha esperança de estreitar a procura ao continente norte-americano. Ou ao Zimbábue.

MarkBaynard: Que pena que estou de olho em você e em seus modos abomináveis. Fui treinado para resistir a todas as formas de tortura engendradas por você e seus pequenos comparsas felinos.

Abby_Donovan: Você não viu o que Buffy, a caça-ratos, pode fazer com um pouco de catnip e um cutucador de gado. Por que não me diz onde está?

MarkBaynard: Para você me mandar flores? Ou talvez um daqueles cartões musicais que tocam *I will survive*?

Abby_Donovan: Eu estava pensando mais em algo no estilo do *Death cab for cutie.*

MarkBaynard: Não, obrigado. Pode guardar suas flores e seus cartões. Prefiro muito mais que você me odeie a que tenha pena de mim.

Abby_Donovan: Parabéns. Está dando certo.

MarkBaynard: Acho que esta é uma das verdadeiras razões pelas quais minha esposa foi embora. Depois da minha recaída, ela decidiu que tinha mais pena do que amor por mim.

Abby_Donovan: Você ainda a ama?

MarkBaynard: No momento não consigo nem arranjar energia para odiá-la. Embora eu deteste o que ela está fazendo comigo e com o nosso filho.

Abby_Donovan: O que foi que você me disse no nosso último "encontro"? "Odiar ainda é uma forma de paixão. É a apatia que mata um relacionamento."

MarkBaynard: Exatamente. Dizem que viver bem é a melhor vingança. Neste ponto do nosso relacionamento, eu ficaria satisfeito simplesmente em viver.

Abby_Donovan: Quanto tempo você tem antes de seu grande tratamento?

MarkBaynard: Uma semana. Duas, talvez. Depende de quantas células-tronco viáveis eles conseguiram colher.

Abby_Donovan: Você disse que esse procedimento era experimental. Ele é perigoso?

MarkBaynard: Ele está em algum lugar entre irritar a Sharon Stone em *Instinto selvagem* e gritar "Jesus te ama" dentro de uma mesquita apinhada.

Abby_Donovan: Vai doer?

MarkBaynard: Só se eu sobreviver.

Abby_Donovan: Eu provavelmente estaria enrolada em posição fetal se fosse você. Não compreendo como pode reagir com tanta coragem a tudo isso.

MarkBaynard: Você sabe o que dizem. É melhor rir do que chorar. Ou ficar falando que está com medo.

Abby_Donovan: Aprendeu isso com o Yoda?

MarkBaynard: Não... com o *Guitar hero*, meu verdadeiro mestre zen. A única maneira de atravessar esta vida é atingir o máximo de pontos e tentar não morrer.

Abby_Donovan: Você se importa de tentar muito, muito?

MarkBaynard: Só por você. Tenho que ir agora. Acho que ouvi aqueles macacos voadores vindo nessa direção.

Abby_Donovan: Não diga a eles onde me encontrar.

MarkBaynard: "Vou pegar você, minha linda! E seus gatinhos também!"

Abby_Donovan: Boa noite, Diretor Belding.

MarkBaynard: Boa noite, Jessie.

Abby_Donovan: Boa noite, Zach.

MarkBaynard: Boa noite, Lisa.

Abby_Donovan: Boa noite, Slater.

MarkBaynard: Boa noite, Kelly.

Abby_Donovan: Boa noite, Screech.

MarkBaynard: Boa noite, Tweetheart...

***

Domingo, 26 de junho - 22h45

Abby_Donovan: Como está vestido?

Abby_Donovan: Mark? Eu não tenho notícias suas há alguns dias e estou começando a me preocupar. Eu e a Willow Tum-Tum.

Abby_Donovan: Se você só está se fazendo de difícil, está dando certo. Mais um dia assim e você me terá de joelhos implorando desavergonhadamente por seus tweets.

Abby_Donovan: Espero que você esteja bem. Espero que os macacos voadores e vampiros de laboratório não tenham unido forças para derrotá-lo. Espero que tenha dormido feito um bebê ontem à noite e não tenha sonhado com nenhum Kardashian.

Abby_Donovan: Espero que você me escreva assim que puder. Estou assustada.

***

Segunda-feira, 27 de junho - 02h37

MarkBaynard: Como está vestida?

Abby_Donovan: Agasalho com manchas de café e o casquete de Doris Day em... bom... em qualquer filme dela. E você?

MarkBaynard: Eu torci o meu lençol e fiz a toga do Bluto em *O clube dos cafajestes* . Achei que não estaria acordada. São duas e meia da manhã em Nova York.

Abby_Donovan: Não conseguia dormir.

MarkBaynard: Essa fala não é minha?

Abby_Donovan: Talvez a insônia seja contagiosa. Onde esteve?

MarkBaynard: Eu tive que fazer uma breve excursão para a unidade cardíaca. Estou pensando em investir num *time share*.

Abby_Donovan: Você está bem? O que aconteceu?

MarkBaynard: Eles me forçaram a assistir a um vídeo muito chato estrelado por um monte de gente velha e feliz que jogava golfe para ganhar um brinde.

Abby_Donovan: Eu já te disse que não tenho muito senso de humor às duas e meia da manhã?

MarkBaynard: Não foi nada de mais. Só um pequeno bipe no monitor. Algumas dessas drogas podem estragar seus músculos. Incluindo o músculo do amor.

Abby_Donovan: Hum... Mark... acho que o "músculo do amor" se refere a uma parte totalmente diferente da anatomia.

MarkBaynard: Ah... bom, nesse caso, as drogas que estou tomando podem QUADRUPLICAR o tamanho dos músculos.

Abby_Donovan: Não me admira que você seja tão popular entre as enfermeiras safadas. Esse contratempo vai interferir no seu procedimento?

MarkBaynard: Não. Agora que meu coração voltou a bater, está tudo certo.

Abby_Donovan: Seu coração parou???!!!

MarkBaynard: Só por alguns segundos. Um cara de robe tentou me arrastar de qualquer maneira para a luz branca, mas eu disse para ele ir pro inferno.

Abby_Donovan: Eles te deram aquele choque?

MarkBaynard: Só de leve. Bastou me mostrarem o novo vídeo da Lady Gaga.

Abby_Donovan: Eu estava ficando muito preocupada com você.

MarkBaynard: Tentei subornar a enfermeira da unidade para ela me dar meu laptop, mas eu só tinha as sobras da gelatina de limão do almoço para oferecer.

Abby_Donovan: Você deveria ter oferecido seu pudim de tapioca. Ouvi dizer que sempre funciona.

MarkBaynard: Já chega das minhas aventuras. O que andou aprontando?

Abby_Donovan: Bom, eu fui até o Bronx visitar minha mãe na casa de repouso hoje à tarde.

MarkBaynard: Como ela estava?

Abby_Donovan: Não estava mal. O Elvis ia passar por lá depois e isso sempre a deixa de bom humor.

MarkBaynard: Ele ia trazer Napoleão e Teddy Roosevelt junto?

Abby_Donovan: Não... só a Janis Joplin e o Jim Morrison.

MarkBaynard: Se eu tivesse entrado na luz com aquele cara de robe, também poderia ter aparecido.

Abby_Donovan: Às vezes, quando está confusa, ela diz coisas hilariamente inapropriadas que me fazem querer arrancar os olhos com um garfo.

MarkBaynard: Minha mãe também faz isso. Mas eu teria que usar um garfo de plástico, porque é só o que eles dão aqui.

Abby_Donovan: Acho que minha mãe ia gostar de você.

MarkBaynard: Porque nós dois somos dementes? Sua mãe tem sorte de ter você. Você é uma boa filha, Abby Donovan.

Abby_Donovan: Uma boa aluna de escola católica? Achei que eu fosse uma megera safada.

MarkBaynard: Só às terças e quintas. Por que não vai dormir? Eu ainda estou um pouco agitado.

Abby_Donovan: Obrigada por me informar de que está bem.

MarkBaynard: Estou sempre bem quando você está perto.

Abby_Donovan: Boa noite, Potsie.

MarkBaynard: Boa noite, Sra. C.

Abby_Donovan: Boa noite, Richie.

MarkBaynard: Boa noite, Joanie.

Abby_Donovan: Boa noite, Arnold.

MarkBaynard: Boa noite, Pinkie.

Abby_Donovan: Boa noite, Arthur.

MarkBaynard: Boa noite, Tweetheart...

* * *

Quarta-feira, 29 de junho – 21h58

MarkBaynard: Como está vestida?

Abby_Donovan: Um agasalho roxo da Sue Sylvester com aproximadamente um quilo de pelos da Buffy nele. E você?

MarkBaynard: Uma expressão muito brava e o que parece ser 35 metros de tubos intravenosos que estou quase usando para me enforcar. Ou enforcar alguém.

Abby_Donovan: Dia ruim?

MarkBaynard: Estou quase jogando uma unidade de hidroterapia pela janela para escapar.

Abby_Donovan: Para onde iria?

MarkBaynard: Florença? Vale do Loire? Toscana? Roma, talvez?

MarkBaynard: Poderíamos beber muito vinho, dançar nus nas fontes e fazer amor loucamente até amanhecer.

Abby_Donovan: Ou até a *polizia* nos levar para o xadrez.

MarkBaynard: Confie em mim. Uma cela de cadeia italiana seria preferível a este lugar.

Abby_Donovan: Só se algum enorme siciliano bigodudo não fizer de você a sua mulherzinha.

MarkBaynard: Acho que você acabou de descrever a minha enfermeira noturna. E eu já sou a mulherzinha dela.

Abby_Donovan: Você não perde o senso de humor, não é? Eu sempre ouvi dizer que era a última coisa a ir embora.

MarkBaynard: Você sabe o que dizem: morrer é fácil; fazer comédia é que é difícil.

Abby_Donovan: Ainda está atingindo o maior número de pontos possível?

MarkBaynard: Deus sabe que estou tentando. Se eu fosse Deus, estaria zapeando pessoas com raios a toda hora. Esqueceu de dar a seta? ZAP!!!

Abby_Donovan: Não enxugou a xícara de frappuccino antes de dar para mim? ZAP!!!

MarkBaynard: Levou 20 minutos para cantar o Hino Nacional antes de um jogo? ZAP!!!

Abby_Donovan: Cobrou 8 dólares por uma pipoca pequena no cinema? ZAP!!!

MarkBaynard: Ocupada demais se preocupando em terminar o turno para me dar a próxima dose de analgésico? ZAP!!!

Abby_Donovan: Se você me disser onde está, irei dar a minha versão da Shirley MacLaine em *Laços de ternura*. E vou te dar esses remédios.

MarkBaynard: Se você fosse a Shirley MacLaine, seus amigos videntes poderiam te dizer onde eu estou.

Abby_Donovan: Acho que está confundindo Shirley MacLaine com Dionne Warwick. A Shirley é aquela que foi amante do Carlos Magno em vidas passadas.

MarkBaynard: Eu devo ter sido o Gengis Khan em alguma vida passada. É a única coisa que explicaria o dia que tive hoje.

Abby_Donovan: O que posso fazer?

MarkBaynard: Poderia conversar comigo por um minuto? Estou tendo dificuldade para me concentrar em qualquer coisa que não seja o som da sua voz.

Abby_Donovan: Acha que VOCÊ é que teve um dia ruim? Se quer realmente olhar a morte de frente, deveria tentar cortar as garras da Buffy, a caça-ratos.

Abby_Donovan: Eu só consegui cortar duas antes de ser forçada a chamar um exorcista.

Abby_Donovan: Mesmo quando era bebê, Buffy já tinha o ar de uma *serial killer*. http://tweetpic.com/2825190620

Abby_Donovan: Hoje um gato de rua tentou chamar minha atenção no parque, como se dissesse "Me leve para casa". Será que Buffy e Willow estão enviando sinais para a nave-mãe enquanto eu durmo?

Abby_Donovan: Meu dia só ficou melhor quando encontrei uma crítica destrutível sobre o meu livro na Amazon.

Abby_Donovan: Eu levaria esses críticos amadores mais a sério se eles dissessem "Este livro não me pegou"...

Abby_Donovan: ... em vez de "Nenhuma árvore inocente deve morrer a serviço desta autora demoníaca".

Abby_Donovan: Hoje eu assisti a um programa de culinária em que uma moça fazia tacos de lagosta com chocolate cobertos com bacon.

Abby_Donovan: Eu sei que parece nojento, mas era chocolate AMARGO e bacon gourmet. Aí parece melhor, não é? Queria saber se ela é casada.

Abby_Donovan: Mark?

Abby_Donovan: Mark? Tá dormindo?

Abby_Donovan: Bons sonhos, Tweetheart...

* * *

Terça-feira, 5 de julho – 08h35

MarkBaynard: Como está vestida?

Abby_Donovan: Agasalho com manchas de café e o canhão de prótons de Bill Murray em *Os caça-fantasmas*. E você?

MarkBaynard: Agasalho com manchas de café e rosto vermelho de vergonha...

MarkBaynard: Me desculpe por ter caído no sono na sua frente aquela noite. Minha esposa detestava quando eu fazia isso. Principalmente quando ela estava por baixo.

Abby_Donovan: Não deve ter sido a primeira vez que alguém cai no sono enquanto lê o que eu escrevo. Mas eles costumam comprar o livro primeiro.

MarkBaynard: Eu sonhei com um gato que tinha os olhos do Ted Bundy que esguichavam sopa de ervilha. Acordei com um desejo enorme de comer chocolate amargo com bacon.

Abby_Donovan: Como está a dor hoje?

MarkBaynard: Em algum ponto entre uma unha do pé encravada e bater sem parar na própria virilha com um martelo.

Abby_Donovan: Já tomou a medicação?

MarkBaynard: Ainda não. Eu queria estar lúcido para te dizer que talvez eu não apareça por algum tempo.

Abby_Donovan: Planejando mais uma excursão à unidade cardíaca?

MarkBaynard: O Dr. Horrível acabou de me informar que ficarei em isolamento completo quase a semana inteira. Eles finalmente marcaram meu procedimento.

MarkBaynard: Abby?

Abby_Donovan: Me diga onde você está. Eu vou. Qualquer lugar.

MarkBaynard: Receio que não posso deixar que faça isso. Recuei para o meu refúgio. Não permitimos garotas.

Abby_Donovan: Mark, estou falando sério.

MarkBaynard: Eu também.

Abby_Donovan: Agora você está me assustando de verdade.

MarkBaynard: Eu meio que odeio você, sabe? Só um pouquinho.

Abby_Donovan: Por quê?

MarkBaynard: Antes de te conhecer, eu não tinha muito motivo para viver. Minha esposa tinha me deixado. Meu filho tinha ido embora...

MarkBaynard: Eu podia rir na cara da Sra. Morte sem me preocupar que ela me chutasse nos dentes com suas botas com pontas de aço.

Abby_Donovan: Me diga onde você está. Eu levo o meu canhão de prótons para podermos enfrentá-lo juntos. Ele não pode ser mais durão do que o Homem de Marshmallow.

MarkBaynard: Receio que cruzaríamos nossos raios e isso aniquilaria nós dois.

Abby_Donovan: É um risco que estou disposta a correr.

MarkBaynard: Mas não estou disposto a te expor a ele.

Abby_Donovan: Eu perdoei você por mentir para mim. Mas nunca o perdoarei se você morrer. Vou procurar seu túmulo e deixar que a Buffy o use como caixinha de areia.

MarkBaynard: Obrigada por me fazer rir. Obrigada por me fazer esquecer...

MarkBaynard: E, acima de tudo, obrigada por me lembrar de que ainda existem coisas neste mundo das quais vale a pena rir.

Abby_Donovan: Não me diga adeus, Mark Baynard. Não ouse me dizer adeus!

MarkBaynard: Não vou dizer adeus. Nem "até o próximo tweet." Só vou dizer...

MarkBaynard: Boa noite, Tweetheart...

* * *

E ele simplesmente sumiu.

Abby reclinou-se na cadeira, com os dedos parados sobre o teclado. Levantou o olhar para a janela, mas o mundo lá fora parecia mais artificial que uma imagem em uma tela de TV.

Ela sabia, bem no fundo de seu coração, que não adiantaria implorar para Mark. Não adiantaria mandar inúmeros tweets tentando convencê-lo a ceder. Ele estava decidido. Determinado a marchar para sua última batalha sozinho, escudado somente por sua frágil esperança.

Deixando-a sem poder fazer nada... a não ser esperar.

Capítulo 15

Abby entrou pela porta da loja de celulares impulsionada por uma violenta rajada de vento e chuva. Mesmo sem estar sendo seguida por nenhum urso, ela tinha corrido praticamente meio quilômetro entre seu apartamento e a loja. Ela se curvou e respirou com dificuldade antes de se endireitar para avaliar o lugar.

Várias pessoas na loja apinhada olhavam para ela, desconfiadas. Ela não sabia se poderia culpá-las. Deveria estar parecendo algo que até o gato se negaria a trazer para dentro.

Ela havia saído às pressas do apartamento sem se importar em pegar a elegante capa de chuva Burberry que estava pendurada no fundo do seu guarda-roupa. Estava tão distraída que só percebeu que chovia a cântaros quando já estava na metade da Grand Army Plaza. Abby já estava molhada até os ossos, então não parecia fazer muito sentido voltar para pegar a capa.

Ela sacudiu o cabelo encharcado, tirando-o dos olhos e acidentalmente espirrando água em alguns clientes próximos. Ignorando seus olhares de irritação, abriu caminho desajeitadamente por entre as prateleiras até chegar ao balcão de atendimento do outro lado da loja, com seus All Star desbotados fazendo ruído de água a cada passo.

Um jovem pálido e esquelético com cicatrizes de acne, óculos de Harry Potter e cabelo afro clareado estava demonstrando os recursos do mais recente iPhone para um extasiado casal que *não* havia esquecido suas capas de chuva Burberry quando saiu de seu pretensioso apartamento no Upper West Side.

– Com licença – Abby interrompeu, se perguntando se tinha o olhar tão selvagem quanto sentia que tinha. – Eu preciso de um CrackBerry... quer dizer, um BlackBerry, ou de um iPhone!

O funcionário nem se deu ao trabalho de olhar para ela.

– Pode pegar uma senha, senhora, que o próximo atendente disponível a chamará assim que possível.

Abby olhou freneticamente à sua volta até localizar a máquina para retirar senhas no fim do balcão. A insolente lingueta de papel saindo da boca na caixa cor de laranja exibia o número 467. O número digital mostrado na tela sobre o balcão era o 433.

Ela avançou devagar para o lado, procurando colocar-se na mira do funcionário, e ganhou um justificável olhar irritado do casal.

– Você não está entendendo – ela disse. – Eu não consigo sair do meu apartamento há quatro dias porque estou esperando uma mensagem. Uma mensagem *muito* importante.

– Do seu planeta? – o funcionário ousou dizer, olhando de esguelha para seu cabelo. Quanto mais molhado ficava, mais estranho ele se tornava. Abby podia senti-lo se enrolando em sua cabeça feito molas de colchão quebradas, absorvendo cada gota de umidade do ar.

Ela suspirou. A coisa mais racional a fazer seria pegar uma senha, sentar-se e esperar pacientemente pelo próximo atendente disponível.

Abby não podia ficar em seu apartamento eternamente. Ela já havia perdido a costumeira visita das segundas à casa de repouso de sua mãe, e ela e sua agente tinham marcado um almoço para a manhã seguinte, a fim de discutir a oferta para seu livro de uma pequena, mas muito respeitada, editora. Ela poderia levar seu laptop junto, mas e se não houvesse conexão WiFi no lugar onde elas estivessem? E o tempo que levaria para ir de seu apartamento ao lugar de destino? Mark poderia estar twittando naquele exato momento enquanto ela estava lá de pé, sobre uma enorme poça de água, resistindo à tentação de pegar aquele funcionário metido pela gravatinha e dar-lhe um puxão por cima do balcão.

– Por favor – ela sussurrou, sentindo uma humilhante pontada de lágrimas por trás de seus olhos. – Eu preciso *mesmo* de um telefone novo. É questão de vida ou morte.

Ele deve ter sentido o tom de angústia em sua voz, porque, por uma fração de segundo, o jovem funcionário olhou de verdade para ela e a viu. *Realmente* a viu, de uma maneira que os nova-iorquinos raramente faziam.

Suspirando em derrota, ele pegou um folheto debaixo do balcão e entregou-o ao casal.

– Por que vocês não dão uma olhada nas especificações de nosso plano 5G enquanto aguardam?

Eles lançaram a Abby um olhar de enfado, mas folhearam atentamente o material enquanto o funcionário digitava o número do celular atual de Abby em seu terminal de computador e consultava o monitor.

– Seu contrato atual só termina em novembro, o que significa que não podemos oferecer nenhum desconto para um novo telefone. A senhora terá que pagar o preço total do varejo, que é 550...

– Eu fico com ele.

O funcionário piscou surpreso ao ver o cartão American Express Platinum que apareceu como um passe de mágica na mão dela.

– Muuuito bem – ele entoou, pegando o cartão de sua mão.

– Mais alguma coisa? – Agora que estava prestes a ter um telefone novinho em suas mãozinhas ansiosas, Abby conseguiu até mesmo desenterrar um sorriso de gratidão.

Ele parou antes de passar o cartão, olhando-a com cautela.

– Sim?

– Poderia me mostrar como baixar o Tweetdeck?

* * *

Abby olhou para o elegante iPhone aninhado em sua mão, desejando em silêncio que aquela coisa arrogante fizesse algo – qualquer coisa – que justificasse sua existência. Por que nos últimos três dias ele não servira para nada e ela bem que poderia jogá-lo no lago. Com sua sorte, ele provavelmente atingiria uma das pessoas que se divertem remando barcos nas margens do lago do Central Park.

Ainda agarrando o telefone como se ele fosse algum talismã antigo criado para espantar todo o mal, ela se reclinou no banco do parque e voltou o rosto para o céu. Era um daqueles dias de verão perfeitos em que a umidade caía e a esperança alçava voo. Nuvens de algodão pairavam num céu de vívido azul. O parque era um oásis em meio ao cinza da cidade, atraindo de forma irresistível qualquer pessoa faminta de ar fresco e da ilusão da liberdade.

A julgar pelas aparências, a sorte de Abby parecia estar mudando. Seu livro estava a poucos capítulos da conclusão e ela o achava bom, talvez até melhor que o primeiro. Naquele exato minuto, sua agente estava discutindo os detalhes de um contrato de seis dígitos com um editor de escritores famosos ávido por trabalhar nos próximos três projetos dela. Abby poderia ter que sair de seu apartamento alugado, mas continuaria a alimentar Buffy e Willow Tum-Tum com boa ração.

Afinal, ela estava mesmo cansada de viver em um quarto de hotel reformado. A fragilidade da vida de Mark havia feito com que ela percebesse o quanto permitira que sua própria vida se tornasse *instável.*

Ela havia se enganado, acreditando que vivia a vida que sempre sonhou, quando só o que estava fazendo era esconder-se dela. Mark não permitiu, porém, que ela se escondesse. Ele a havia arrastado pelas ruas de Paris, pelo sol da Toscana e pelas fontes de Florença até que ela finalmente se viu parada no alto do castelo de Blarney com o resto de sua vida espalhado lá embaixo. Ele havia mostrado a ela o que realmente significa viver até morrer, mesmo que os países que você visite só existam na sua imaginação.

Abby não queria perder mais nem um minuto dormindo em um futon e vivendo no apartamento de outra pessoa. Ela queria um lugar só seu – talvez um modesto chalé nos Hamptons, ou uma antiga casa vitoriana na costa de Jersey que precisasse de muito trabalho e amor para tornar-se um lar. Um lugar em que ela teria três vezes mais espaço por uma hipoteca que era metade do que ela pagava de aluguel. Tinha pensado em voltar para a Carolina do Norte, fixar-se em Asheville ou numa das outras comunidades que recebiam artistas de braços abertos.

Ou ela poderia simplesmente passar o resto da vida sentada naquele banco de praça, esperando por um tweet que nunca chegaria.

As nuvens ficaram embaçadas diante de seus olhos quando ela foi forçada a encarar a verdade que vinha negando durante toda a semana. Ela poderia nunca saber o que havia acontecido com Mark. Ela poderia nunca mais ouvir sua voz – uma voz que ecoava em sua cabeça de modo tão claro quanto a dela.

Ela piscou, e as nuvens voltaram a ficar nítidas.

Ela não podia se permitir presumir o pior. Ainda não. Mark ainda podia estar em isolamento ou lutando contra as drogas que estava recebendo para se preparar para o tratamento. Talvez ele não tivesse conseguido usar os restos de gelatina para subornar a enfermeira Ratched a dar-lhe seu laptop.

Ele quis agarrar-se à esperança mesmo quando parecia que todas elas estavam perdidas. Ela não lhe devia menos que isso.

Enfiando o telefone no bolso do short, ela se levantou e voltou para o apartamento, onde ainda poderia passar o resto da tarde tomando sorvete direto do pote e olhando vagarosamente para o laptop.

Seu bolso emitiu um som.

Por um instante, ela pensou que seu coração fosse parar.

Atrapalhando-se para pegar o telefone no bolso fundo do short largo, ela correu para a sombra sob os galhos protetores de um carvalho, onde conseguiria ler a tela com mais facilidade.

Ela passou o dedo freneticamente sobre a tela do telefone até aparecer a coluna de mensagens diretas de seu Tweetdeck. O tweet que chegara estava acompanhado da foto do perfil de Mark: John Cusack, pensativo, segurando um aparelho de som sobre a cabeça como se seus braços nunca fossem se cansar, desde que houvesse uma chance de ser ouvido pela garota que ele amava.

Abby sentiu um sorriso começando a lhe curvar os lábios, mas ele foi substituído por um ar de confusão quando ela leu o tweet.

Quinta-feira, 14 de julho - 13h22

MarkBaynard: É a Abby?

Abby_Donovan: Sim.

MarkBaynard: A Abby do Mark?

Abby_Donovan: Acho que sim.

MarkBaynard: Sou a Kate, irmã mais nova dele.

Abby_Donovan: Olá, Kate. Fico muito feliz por ter notícias. Como ele está?

MarkBaynard: Eu costumo usar o Facebook, mas não sei direito o que fazer com esse Twitter.

Abby_Donovan: Tudo bem. Estou ouvindo.

MarkBaynard: Meu irmão vai começar o tratamento amanhã. Ele deixou algumas instruções e um bilhete para você.

Abby_Donovan: ???

MarkBaynard: Diga a ela que Roger Daltrey ainda pode dar de 10 no David Cassidy. Diga que ela é mais bonita que a Jen e a Angelina. Diga que ela foi o amor da minha vi...

Abby_Donovan: Kate?

Abby_Donovan: Kate? Ainda está aí?

– Kate? – Abby sussurrou enquanto o telefone voltava a ficar escuro e silencioso. – Mark? – ela acrescentou, mais num lamento que num sussurro.

Ela desabou contra o tronco da árvore, agarrando o telefone com dedos que haviam ficado tão entorpecidos quanto seu coração. O sol ainda penetrava pelas delicadas folhas verdes do carvalho. As nuvens ainda estavam pairando pelo céu azul. Mães ainda corriam atrás de seus filhos sorridentes e cães baderneiros pelo Bethesda Terrace. Os amantes ainda passeavam de mãos dadas pelo lago. Mas tudo dentro de Abby havia ficado mudo e inerte, como se ela estivesse prendendo uma respiração que nunca pretendesse soltar.

– Que se dane, Mark Baynard – ela finalmente disse, numa voz que mal reconhecia como sua. – Não vou deixar que faça isso. – Jogando o telefone de volta no bolso do short, ela desgrudou da árvore e rumou para o apartamento em passo decidido.

Capítulo 16

– Sinto muito, senhora. Não estamos autorizados a divulgar essa informação.

Quando a voz metálica da telefonista do hospital atingiu seu ouvido, Abby encolheu-se. Desde que voltara do parque, havia várias horas, ela já ouvira dezenas de variações sobre o mesmo tema e ficara sabendo muito mais do que gostaria de saber sobre o Decreto sobre Portabilidade e Responsabilidade de Planos de Saúde, ou como era conhecido pelos mais íntimos – HIPAA[3]. Criado para proteger as informações médicas sobre um paciente, as estritas regras de privacidade do decreto também tornavam impossível determinar se a pessoa em questão realmente existia ou se era simplesmente uma invenção de sua imaginação.

Aos olhos do Departamento de Saúde e Serviços Humanos dos Estados Unidos, fazer uma simples pergunta como "Pode me dizer se Mark Baynard está – ou esteve – internado em seu hospital?" era comparável a requisitar os códigos nucleares de um submarino russo.

– Nada ainda? – Margô virou-se para perguntar, encolhendo seus musculosos ombros para se livrar de um torcicolo.

---

[3] Em inglês, Health Insurance Portability and Accountability Act.

Em resposta ao frenético sinal de desespero de Abby, Margô tinha vindo para o apartamento dela havia algumas horas, carregando um saco de donuts quentinhos e uma bandeja de emergência de café com leite. Ela tinha passado várias horas curvada sobre a mesa, usando o laptop de Abby para buscar no Google o nome e o telefone de cada hospital do país especializado no tratamento do linfoma não Hodgkin, e depois limitando-se àqueles com especialização em realizar testes clínicos. Ela enchia uma página com anotações e a passava para Abby, sentada num canto do sofá de couro, com o telefone sem fio pressionado contra a orelha feito uma extensão do seu corpo.

Um rápido sacudir da cabeça de Abby revelou a Margô tudo que ela precisava saber.

Enquanto sua amiga voltava à busca, Abby seguia a última lista que Margô produzira, discando para um número depois do outro até seus ouvidos e seu dedo indicador ficarem dormentes.

O primeiro telefonema que ela dera fora para a Ole Miss. Mas o chefe de Mark não se mostrou mais acessível do que os hospitais para revelar sua atual condição e paradeiro. Nem mesmo fingir ser uma de suas antigas alunas apaixonadas havia amolecido seu coração de pedra.

Margô virou-se para entregar-lhe outra folha de papel, com um ar de preocupação nos olhos negros que não deixava dúvida de que ela acreditava que a busca desesperada de Abby terminaria em frustração.

Abby arrancou o papel da mão da amiga, evitando olhar em seus olhos.

– Não fale nada, Margô. Só continue pesquisando. Eu prometo que você vai voltar para a cama do Javier logo, logo.

– Não é Javier. É Guillermo – Margô informou, inflando as narinas com um toque de mágoa. – E ele tem uma sessão de fotos hoje, então só vai chegar bem tarde.

– Quem ele vai ser? Mister Outubro?

– Pois fique sabendo que ele é um modelo de mão muito respeitado.

– Pelo que vi dele, nunca imaginaria que as mãos fossem seu melhor traço.

– Isso porque você nunca passou uma noite na cama dele.

Sorrindo sem vontade, Abby começou a discar o próximo número da lista. A telefonista que a atendeu parecia mais jovem e mais solícita que as outras.

Ela, na verdade, deu um suspiro desconsolado antes de acabar com as esperanças de Abby.

– Sinto muito, senhora, mas devido às normas da HIPAA, não podemos fornecer informações sobre nenhum de nossos pacientes.

Abby estava quase apertando o botão para desligar e seguir para o próximo número da lista quando percebeu exatamente o que a mulher havia dito. Ela colocou o telefone de volta no ouvido.

– Seus pacientes? Está dizendo que Mark Baynard *está* internado aí?

Fez-se um constrangedor momento de silêncio seguido por uma afirmação hesitante.

– Receio que não seja permitido divulgar essa informação. Mesmo que fosse verdade.

– Obrigada. Muito, muito obrigada – Abby disse baixinho antes de desligar o telefone.

Ela correu o dedo trêmulo pela elegante letra de Margô até encontrar o número que acabara de discar. Ela o seguiu até a coluna à direita da página – Hospital Presbiteriano de Nova York.

Manuseando a folha de caderno como se fosse um pergaminho egípcio em risco de desintegrar-se em suas mãos, Abby levou-a para a mesa e colocou-a ao lado do laptop.

Ela apontou para o quadrado.

– Pode me dar mais uma força aqui?

Algo na voz dela deve ter impedido Margô de fazer uma pergunta ou emitir um protesto. Ela simplesmente digitou o nome do hospital na caixa de busca, com as unhas de bronze voando por sobre o teclado, e depois clicou no primeiro resultado que surgiu.

Segundo o elegante site de fácil navegação, o Hospital Presbiteriano de Nova York, localizado na Rua 68, era um centro médico de alto padrão. Também abrigava o Centro de Tratamento para Linfoma e Mieloma. Abby inclinou-se sobre o ombro de Margô para ler a página da web:

O Centro foi pioneiro na criação do tratamento de anticorpos radiomarcados para o linfoma e realizou um número significativo de testes clínicos nessa área. O Centro também foi um dos primeiros a unir a quimioterapia com anticorpos radiomarcados como parte da terapia inicial para pacientes recentemente diagnosticados com linfoma. Vários testes clínicos estão sendo realizados para avaliar vacinas administradas após a quimioterapia para retardar ou impedir a reincidência do tumor. O programa de células B de linfoma do Centro continua a atrair pacientes de todo o mundo com suas terapias imunológicas inovadoras.

Ainda olhando estaticamente para a tela, Abby endireitou-se.

Hospital Presbiteriano de Nova York. Rua 68, Leste.

Ela não sabia se ria ou chorava. Todo esse tempo, Mark estava a menos de dez quadras de seu apartamento. Uma ligeira caminhada em uma tarde de verão.

Sentindo-se como se estivesse atravessando um sonho em estado de sonambulismo, ela voltou ao telefone. Suas mãos estavam estranhamente firmes enquanto ela discava o número pela segunda vez. Outra telefonista respondeu desta vez – ela parecia bem mais madura e muito menos passível de revelar informações confidenciais acidentalmente.

Abby escolheu as palavras com cuidado.

– Eu sei que não é permitido dar informações sobre seus pacientes, mas seria possível localizar um membro da família de um paciente para mim?

– Nome, por favor?

Abby deixou escapar um suspiro frágil enquanto rezava em silêncio para que a irmã de Mark ainda não tivesse se casado.

– Kate Baynard.

– Aguarde, por favor.

Abby engoliu com dificuldade, agarrada ao telefone. Ela podia sentir Margô parada atrás dela, com a respiração também em suspenso.

A telefonista voltou à linha, com a voz brusca e impessoal de uma gravação.

– Um momento.

Então, ouviu-se um clique e uma mulher com voz jovem e muito cansada disse:

– Aqui é a Kate. Pois não?

– Aqui é a Abby, Kate. – Enquanto Margô apertava seu ombro, Abby fechou os olhos, finalmente permitindo que as lágrimas caíssem. – A Abby do Mark.

* * *

Abby percorreu com decisão um longo corredor bege que poderia pertencer a qualquer hospital em qualquer lugar do país. Ela não tinha trazido flores nem um cartão musical que tocava *I will survive*. Ela não tinha tido tempo de trocar sua camiseta manchada de café e seu short desbotado.

Os tons quentes do carpete com estampas em cores vivas faziam o possível para quebrar o brilho frio das luzes fluorescentes. Portas abertas ladeavam o corredor, mas Abby continuou olhando fixamente para a frente, resistindo ao desejo natural de espiar cada quarto por que passava. Esses pacientes já tinham perdido tanto. Mereciam, no mínimo, privacidade.

Um número na parede informou que ela havia chegado ao seu destino. A porta do quarto estava entreaberta. A luz estava apagada, deixando o cômodo banhado no brilho suave de uma luminária de cabeceira. De muitos dos outros quartos saíam risos gravados ou vozes que vinham dos aparelhos de TV afixados nas paredes, mas o único som que vinha daquele era o bipe ritmado de um monitor cardíaco.

Abby ergueu a mão, mas, antes que pudesse bater, viu uma mulher jovem aninhada na poltrona reclinável próxima da porta. Ela havia feito ali um ninho aconchegante com um cobertor do hospital e o forrado com livros da Harlequin, o último romance de Stieg Larsson e um maltratado laptop Dell, que parecia estar em hibernação, assim como sua dona. O chão em torno da poltrona estava cheio de copos de isopor vazios e vários pacotes de bolachas comidas pela metade que só poderiam ter vindo de uma dessas máquinas de venda automáticas.

Com o cabelo castanho ondulado preso por uma fivela e o rosto sardento sem maquiagem, Kate Baynard parecia muito jovem. O fato de ela ter caído em sono profundo ao saber que Abby estava vindo revelava a profundidade de sua exaustão. Estava claro que não tinha a intenção de deixar seu irmão sozinho.

Com cuidado, Abby cobriu os ombros da jovem antes de olhar para a cama.

Não havia sinal de Hillary Clinton, mas um exemplar de *Tempo para esquecer*, de Abigail Donovan, descansava virada para baixo na mesinha de cabeceira. Balançando a cabeça pesarosamente, Abby estudou a versão mais jovem e mais dócil de si mesma sorrindo para ele na contracapa. Ficou surpresa ao perceber que não mais invejava ou sentia pena daquela mulher. Talvez, com o tempo, ela até viesse a gostar dela.

Ela voltou seu olhar para o homem na cama, tomada por uma onda de ternura. Eles eram estranhos em tantos aspectos, mas não nos que eram realmente importantes.

Ele abriu os olhos e piscou para ela. Depois, piscou novamente. Seus olhos se arregalaram em grata surpresa ao perceber que, vivesse ou morresse, ele não conseguiria passar sem ela.

– Olá, Dr. Evil – ela disse baixinho. – Certamente não pensou que poderia me enganar para sempre.

Ele sorriu, e foi um sorriso que ela teria conhecido em qualquer lugar. Era o sorriso que Sam deu a Frodo no final de *O retorno do rei*. O sorriso que dizia "Eu sempre serei seu amigo. Eu sempre o amarei, não importa o que você tenha feito, e não importa o que venha a fazer".

Foi *aquele* sorriso que iluminou os olhos dele quando ele pegou na mão dela e disse:

– Olá, Tweetheart.

Epílogo

MarkBaynard: Como está vestida?

Abby_Donovan: Um sorriso esperançoso e as botas pretas de cano alto que Julia Roberts usou em *Uma linda mulher*.

MarkBaynard: É só o que está usando? Porque, se for, meu sorriso acaba de ficar muito mais esperançoso.

Abby_Donovan: Não crie muitas expectativas, meu caro. Este é só o nosso terceiro encontro e eu não baixo a guarda antes da sobremesa do quarto.

MarkBaynard: Todos aqueles interlúdios românticos regados a queijo cottage congelado no café do hospital não contaram?

Abby_Donovan: Bom, teve aquela noite em que dividimos um milk-shake diet e eu quase deixei você passar no amarelo.

MarkBaynard: E aquela vez quando eu tropecei no suporte do soro no corredor e acidentalmente quase passei no vermelho.

Abby_Donovan: Ah! Eu nunca acreditei que tivesse sido acidental.

MarkBaynard: Você e a velhinha rabugenta do 337.

Abby_Donovan: Então foi por isso que ela chamou a segurança do hospital!

MarkBaynard: Não, aquilo foi porque eu mostrei as partes para ela quando ela roubou a minha gelatina de limão.

Abby_Donovan: E você, como está vestido?

MarkBaynard: Nada, a não ser a bata do hospital.

Abby_Donovan: Eu fiquei sabendo que é a nova tendência da moda. Principalmente nas passarelas de Milão, e entre pacientes que escapam do sanatório.

MarkBaynard: A Margô ainda está tentando alertar você para não sair comigo?

Abby_Donovan: Depois de fazer palavras cruzadas com você e a Kate todas aquelas vezes no hospital, ela ficou ainda mais convencida de que você é um *serial killer*.

MarkBaynard: Ela só não me perdoou por ter insistido que "oxifembutazona" era uma palavra.

Abby_Donovan: Ela não o perdoou porque ERA uma palavra.

MarkBaynard: Recebi um texto profano dela hoje me desafiando a jogar "Palavras e Quase Amigos".

Abby_Donovan: Quando ela descobriu onde ia ser nosso próximo encontro, ela o acusou de tentar me sequestrar.

MarkBaynard: Eu já passei muito tempo do nosso relacionamento sequestrado. Não acha que é a sua vez?

Abby_Donovan: Você sabe que eu ficaria contente se o encontrasse na Poet's Walk, no Central Park. Ou no subsolo da Macy's.

MarkBaynard: Eu não vejo você há quase um mês. Queria que o nosso terceiro encontro fosse muito especial.

Abby_Donovan: Como foi a visita do Mini Mark?

MarkBaynard: Com exceção do cabelo, agora ele parece mais um Mini Joe Pesci. Ele ameaçou colocar a máfia no encalço da mãe se ela não o deixasse me ver.

Abby_Donovan: Viu? Eu disse que ele nunca se esqueceria do papai!

MarkBaynard: É porque eu dei para ele uma caixa de bolachas recheadas. Enquanto eu tiver um estoque infinito de Negresco, valho ouro.

Abby_Donovan: Ele gostou das fotos de Buffy, a caça-ratos, e de Willow Tum-Tum que eu mandei por e-mail?

MarkBaynard: A mãe e o padrasto nunca conhecerão um momento de paz enquanto não arranjarem um gato para ele. O que é mais um bônus para mim.

Abby_Donovan: Espero que você saiba que eu não teria culpado você se decidisse ficar no Mississippi.

MarkBaynard: Eu esperava que isso fosse partir seu coração.

Abby_Donovan: Eu disse que não o culparia, e não que não partiria meu coração.

MarkBaynard: Eu teria partido o coração do meu médico se tivesse perdido minha consulta de acompanhamento.

Abby_Donovan: Você já foi? Por que não me disse? Você tinha prometido que não haveria mais segredos entre nós!

MarkBaynard: E não haverá. Eu iria manter nosso encontro, não importa o que ele me dissesse.

Abby_Donovan: (Suspiro profundo). E o que ele disse?

MarkBaynard: Vire-se e eu lhe direi.

* * *

Abby colocou seu iPhone sobre a mesa e levantou-se da cadeira, girando lentamente, e deparou-se com Mark atravessando a espaçosa Place de l'Alma. Atrás dele, via-se a silhueta da graciosa treliça da Torre Eiffel contra um céu lavanda. O sol havia mergulhado atrás do horizonte enquanto Abby esperava por ele no café. O crepúsculo só tornava o brilho das luzes da cidade, refletido nas escuras águas do Sena, pelos ainda mais luminoso e mágico.

O passo de Mark era forte e firme, seu corpo já recuperado da maior parte da devastação causada pela quimioterapia e pelos esteroides. Ele nunca seria o Batman nem o Hugh Jackman, mas de alguma maneira isso o tornava ainda mais bonito e querido aos olhos dela. Ele não tinha que ser uma pessoa excepcional. Estar vivo já era suficiente.

Ela havia se aninhado ao lado dele em sua cama de hospital enquanto assistiam a episódios de *Supergatas* e à primeira temporada de *Veronica Mars.* Ela segurara a lata de lixo enquanto ele vomitava. Segurara a mão dele durante aquelas noites sombrias e intermináveis em que a dor e as drogas o deixavam praticamente fora de si. Apegara-se à esperança mesmo quando a sua própria tinha começado a desaparecer.

No entanto, quando ele parou diante dela, dando-lhe um sorriso bobo enquanto enfiava o celular no bolso do casaco, ela sentiu sua garganta apertar, quase como se fosse seu primeiro encontro.

E, de muitas maneiras, realmente era.

Em vez de botas de salto alto, ela estava usando sapatos baixos confortáveis, perfeitos para andar pelas ruas de Paris de braço dado com o homem que amava. Ela havia decorado seu vestido simples de lã preta com um ou dois obrigatórios pelos de gato que sempre acabavam entrando em sua bagagem. Seu suéter tinha o peso perfeito para espantar o friozinho de outono das noites brandas de novembro.

Ela não precisaria mais se esconder atrás das paredes de seu apartamento alugado nem nas colunas de seu Tweetdeck, nem mesmo do interminável desfile de médicos e enfermeiras do hospital. Agora só havia eles dois e a garrafa de vinho que esfriava na mesa atrás dela.

Achando mais fácil naquele momento tocá-lo que compartilhar as palavras que transbordavam de seu coração, ela estendeu a mão e afagou suavemente o cabelo de Mark, maravilhada por ver o quanto ele havia crescido desde a última vez que eles se encontraram.

– Sabe que está crescendo mais grosso do que era?

– É o que me dizem – ele disse com pesar, incapaz de esconder completamente seu prazer ao passar a própria mão sobre os cachos ainda em crescimento. – Você vai ter que se acostumar. Parece que o Dr. Evil deixou o prédio. Pelo menos por enquanto.

– Foi isso o que o médico disse?

– É isso o que os resultados dos exames disseram. Estavam melhores do que ele esperava. Ele não me disse exatamente para sair correndo e comprar a casa dos meus sonhos, mas não descartou a possibilidade de eu fazer um longo contrato de aluguel.

– Ah, Mark! – Abby não percebeu o quanto estava aliviada com aquelas palavras até começar a gaguejar. Ela se aproximou e passou os braços em volta de seu pescoço, esperando contar com a força dele até que a sua própria força voltasse.

Mas ele a pegou pelos ombros e a afastou, seus calorosos olhos castanhos procurando seu rosto com uma intensidade que a fez sentir-se ainda mais tonta.

– Olhe, eu gostei muito de tudo que fez por mim enquanto eu estava doente, mas, se quiser ir embora agora, eu compreendo. Ausência de sintomas não significa cura. Eu ainda posso ter uma recaída mais para a frente.

– E eu posso sair amanhã e ser atropelada por um ônibus. – Abby sorriu radiante para ele, com os olhos cheios de lágrimas. – Você ainda não aprendeu que não existem garantias nesta vida?

Mark levou a mão ao rosto dela, tocando-a como se ainda não pudesse acreditar que era possível.

– É aí que você se engana, Abby Donovan. Porque eu garanto que, enquanto houver um sopro de vida em meu corpo, eu vou te amar.

Depois, ele a tomou nos braços e a beijou do modo como Sawyer beijou Kate pela primeira vez em *Lost*. Como Jack beijou Rose na proa do Titanic. Como Spike beijou Buffy no final do episódio musical de *Buffy, a caça-vampiros*. Ele a beijou até que tudo o que eles podiam fazer era ficarem juntos um do outro, balançando ao som de uma música que só eles podiam ouvir.

De algum modo, Abby sabia que era uma música que duraria toda uma vida, não importava se essa vida fosse longa ou curta. Se eles pudessem passar todos os seus "hojes" juntos, ela abdicaria prazerosamente de todos os seus amanhãs.

Quando finalmente se separaram, os dois sem fôlego como se tivessem corrido toda a Champs-Élysées, ela ficou surpresa ao ver que os outros clientes ainda estavam mastigando seu pão com queijo, bebericando suas taças de vinho e fumando seus caros cigarros franceses. Ninguém estava olhando para eles nem revirando os olhos e falando baixinho que aqueles dois deviam fazer aquilo a portas fechadas.

E por que fariam isso? Paris não era somente a Cidade Luz, mas a Cidade do Amor.

– Tem certeza de que isso conta como nosso terceiro encontro? – Mark sussurrou em seu cabelo, com o hálito quente em seu ouvido. – Eu estava pensando que podíamos contar também aquela noite no hospital, quando fomos de fininho até o terraço no alto do prédio ver o pôr do sol e ficamos trancados lá porque a porta de incêndio fechou.

Abby inclinou-se e sorriu para ele.

– Me peça um crème brûlée para viagem e poderemos chamar este de nosso quinto encontro.

FIM (ou COMEÇO)

Temas para Discussão

Quando Mark e Abby se "encontram" pela primeira vez no Twitter, Mark não conta toda a verdade sobre sua identidade. Você acha que é comum as pessoas usarem "máscaras" quando conhecem alguém? Que elas se apresentam como o homem ou a mulher que acreditam que as outras pessoas querem que sejam?

O que você acha da afirmação de Abby para Mark durante o primeiro "encontro"?: "É no primeiro encontro que as pessoas acham que têm mais coisas em comum."

Você já teve alguma química imediata com alguém que conheceu, seja para uma amizade ou um relacionamento amoroso? Acredita que tenha sido uma reação física ou emocional?

Você acredita em amor à primeira vista? Ou em amor ao primeiro tweet?

Abby compartilha seu livro preferido, *A fine and private place*, de Peter S. Beagle, com Mark. Você já encontrou algo em comum com um estranho ao compartilhar seu livro, filme, programa de TV ou música favorita? Trata-se de uma espécie de ritual de acasalamento ou só uma maneira de desconhecidos formarem laços?

Se você tivesse que dizer a alguém qual é o seu livro preferido neste momento de sua vida, qual seria ele? Como ele reflete quem você é e/ou no que acredita?

Abby afirma a mensagem central de *A fine and private place* é que a morte dá sentido à vida e a vida dá sentido à morte. Vocês acreditam nisso?

A vida, sendo finita, nos dá mais motivos para celebrar cada momento? Se você pudesse fazer algo especial para celebrar sua própria vida, o que seria?

Como você sente que o relacionamento de Abby com seus pais impactou seu relacionamento com Mark?

Você conseguiria perdoar Mark por ele ter mentido? Acha que a reação de Abby foi apropriada? Teria pegado mais pesado com Mark ou facilitado as coisas para ele, diante de sua situação?

Você notou alguma dica sobre a situação de Mark nos tweets que Abby pode não ter notado?

Abby e Mark fazem alusões à música de um modo que informa como ela é importante na vida deles. Se você pudesse escolher uma música que refletisse o relacionamento deles, qual seria? Você e alguma outra pessoa querida já compartilharam alguma música especial que consideravam "sua"?

Em determinado momento, Mark diz: "Irving, assim como Jerry Seinfeld, sabe que a única maneira de sobreviver nesta vida é vê-la como um tipo de tragicomédia absurda". Você acha que ele estava sendo muito exagerado ou acha que o humor ajuda a lidar com os desafios da vida?

Você acredita que as redes sociais, como o Facebook e o Twitter, aumentam a intimidade ou tornam mais difícil consegui-la?